-ビジュアルアトラス-

Visual Atlas

世界のユートピア

理想郷を求めた人類の野望と夢

オフェリー・シャバロシュ、
ジャン=ミシェル・ビリウー 著

ローラン・ビネ 序文

神奈川夏子 訳

日経ナショナル ジオグラフィック

© 1974 Cong SA, Suisse. « Corto Maltese en Sibérie（シベリアのコルト・マルテーゼ）»cong-pratt.com / cortomaltese.com.

序文

初めてユートピアという言葉に出合ったのは、ユーゴ・プラット作の漫画『シベリアのコルト・マルテーゼ』の冒頭ページだった。

ベネチアに滞在中のコルトは、ゆったりとしたソファに座ってトマス・モアの『ユートピア』を読んでいる。彼はその一節を引用する。「一体、あなた方は、泥棒をこしらえておいて、それを罰する、という以外、どういう手段を講じておられるのでしょうか」(平井正穂訳、岩波書店、1957年)。これが本当に『ユートピア』からの引用であるとは知るよしもなかったが、たちどころにあることを理解した。ユートピアは世界の不公正と混乱が生み出すものである、と。さらに、コルトが宿の亭主に向かって「俺はこの本を最後まで読み終えられたためしがない」と言ったので、2つ目のことを理解した。ユートピアは決して完成することのない計画である、と。それからコルトは本を膝に乗せたまま居眠りを始めたので、3つ目のことも理解した。つまりユートピアは夢である。

とはいえ、ユートピアは現実になってしまう夢でもある。たしかに、夢想の中そのままの美しさ、純粋さ、正しさには及ばないけれど、実現された夢は二度おいしい。リアル感が得られると同時に不思議さも満喫できるからだ。実際、現実化したユートピアほど奇天烈なものがほかにあるだろうか?

また、これほど危険なものはまたとないのではないか?

人はより良い世界を心に思い描き、時には驚くべき労力を費やして、それを完成させてしまう。そんな世界は少しの間だけ続く。そして夢は霧散する。時には悪夢と化し、時には砂のように砕け散る。

バンセンヌの自由大学、サンパウロのコリンチャンス自主管理チーム、1793年のジャコバン憲法、サンフランシスコのフラワーパワーとウッドストックのヒッピーたち、スターリンの粛清を受けたハンガリー評議会共和国、1525年の農民の12カ条要求、ボリバルやチェ・ゲバラの解放運動、1944年の全国抵抗評議会（レジスタンス組織）の計画、ニューヨークのエリス島、イスラエルのキブツ、そしてインターネット黎明期の野放し状態……その跡には何が残っただろうか。

残されたのは、夢の燃えかす。またの名を「思い出」という。

本書の目次は大変な長さだが、それでもすべてのユートピアが掲載されているわけではない。このことをつくづく考えてみれば、問題はおのずと明らかになる。ユートピアは存在しない場所なのだ。あらゆる場所にユートピアを発見するのはそのせいなのだ。

ローラン・ビネ
作家。著書に『HHhH プラハ、1942年』(ゴンクール賞処女賞)、『言語の七番目の機能』(アンテラリエ賞)、『文明交錯』(アカデミー・フランセーズ小説大賞)など。

目次

理想の場所を求めて

完全無欠のユートピア

世界を再構築する

ユートピアの実験室

科学とフィクション

ユートピアの牽引役

五月革命(パリ) p.110
バスティーユ広場(パリ) p.103
バンセンヌ大学 p.112
アブラクサス(ノワジー・ル・グラン) p.88
アースシップ
(キングホーンロック) p.132
クリスチャニア p.58
アースシップ(オルスト) p.132
ジュリアン・アサンジ(ロンドン) p.252
空飛ぶ自動車(オランダ) p.196
アースシップ(ブライトン) p.132
ファミリステール(ギーズ) p.30
ミシェル・ジョウエン
(フィニステール) p.240
シュマン・デ・ダム p.106
農民戦争(ドイツ) p.96
アルケスナンの王立製塩所 p.26
YUKA p.136
パルマノバ p.24
ゲドロン城 p.166
ソーラーインパルス(ローザンヌ) p.198
セキュ(フランス) p.144
ゼロウェイスト(カパンノリ) p.141
レオナルド・ダ・ヴィンチ(フィレンツェ) p.212
洞窟を飛ぶ熱気球 p.244
郵便配達員の理想宮
p.228
ホラティウス兄弟とクリアティウス兄弟 p.106
世界一平和な国(アイスランド)
p.146
クライオニクス(人体冷凍保存) p.190
エドワード・スノーデン(モスクワ) p.242
ルドビコ・ザメンホフ(ビャウィストク) p.224
空飛ぶ自動車(スロバキア) p.196
ペトロパ・ゴラ p.86
ブズルジャ p.80
天安門広場(北京) p.103
スパルタクス(カプア) p.208
ミレトス p.50
空飛ぶ自動車(日本) p.196
キブツ p.158
アレクサンドリア p.48
ダビデとゴリアテ p.106
マララ・ユスフザイ(ミンゴラ) p.238
風水(中国) p.44
タハリール広場(カイロ) p.102
真珠広場(バーレーン)
p.103
タージ・マハル p.170
国民総幸福量(ブータン) p.120
ゼロウェイスト(マスダール) p.141
ウインドファイヤーフライ(台湾) p.182
アマラーバティー p.68
ファディウート(セネガル)p.124
トーマス・サンカラ(ブルキナファソ) p.250
オーロビル p.64
マゼラン(フィリピン) p.92
ワカンダ p.20
シンガポール p.74
ワンガリ・ムタ・マータイ(ナイロビ) p.236
ジェーン・グドール(ゴンベ渓流国立公園) p.232
マラン p.164
リバタリア p.98
インド洋
南大西洋
ポンテシティー(ヨハネスブルグ) p.160
アースシップ(ヘルマナス) p.132
アースシップ(アデレード) p.132
ジュリアン・アサンジ(メルボルン) p.252

ユートピアの世界地図

北極海
北太平洋
北大西洋
南大西洋
ニューヨークのエリス島 p.36
居住機械 p.202
ポール・ワトソン（カナダ） p.234
サンフランシスコのゼロウェイスト p.141
カリコ p.195
バーニングマン・フェスティバル p.150
プリマス、メイフラワー号の到着地（1620） p.34
ニューハーモニー p.56
エドワード・スノーデン（NSA） p.242
未来の食材（カリフォルニア） p.138
アースハウス（タオス） p.132
ウッドストック（ジョーン・バエズ） p.230
アトランティス大陸 p.12
アーコサンティ p.70
ローザ・パークス（モンゴメリー） p.222
アルコ財団（人体冷凍保存） p.190
チェ・ゲバラ（キューバ） p.218
テオティワカン p.54
マルコス副司令官（チアパス） p.246
アースシップ（ベリーズ） p.132
シモン・ボリバル（大コロンビア） p.216
黄金郷 p.14
ユートピア島 p.10
インカ帝国 p.94
ブラジリア p.78
チェ・ゲバラ（ボリビア） p.220
ウユニ塩湖 p.128
コリンチャンス（サンパウロ） p.156
マージョ広場
（ブエノスアイレス） p.104
マゼラン海峡 p.92
アースシップ（ウシュアイア） p.132
ユートピアにゆかりの場所
ユートピア的構想
古代遺跡
現在進行中のユートピア
神話または想像上の場所
場所にゆかりのある人物
歴史上の出来事

理想の場所を求めて

「ユートピア」は16世紀にイングランドの思想家、トマス・モアが創った言葉で、「場所(topos)」が「不在である(u)」ことを意味するギリシャ語に由来する。実在しない場所の地図帳を作るという本書の試み自体がユートピア的な発想であり、だからこそ面白いのである。このパラドックスを解決するため、この章ではアトランティスやワカンダといった架空の大陸や国だけでなく、理想の追求を象徴する実在の場所——貧困や不公正や不寛容が存在せず、敵すらもいない快適な生活を目指す場所も探訪していく。いろいろな点で、幸福はつかまえにくく、海の果てまで探しても見つからないような気がするが、実は案外すぐそばにあるのかもしれない。

ユートピア島

あるいはトマス・モアの夢

どこにあるのかすら不確かな夢の国が、
ユートピアとはまずは目指してみるべき理想のことなのだと教えてくれる。

「世界の果て」にある
フィクションの社会

ギリシャ語の
「ユー・トポス」
（存在しない場所）から

上：
多くの画家がトマス・モアの空想を地図の形で表現しようと試みている。これはアブラハム・オルテリウスによるユートピア島の版画（1595年）。

左ページ：
ハンス・ホルバイン（子）によるトマス・モアの肖像画（1527年）。思想家そして法律家として名高く、当時はヘンリー8世の政治顧問だった。

世界の果てのどこかにハート形とも三日月形ともいえるような島があり、そこにある50ほどの町では、人々が相互扶助と平和主義を信条として暮らしている。

イングランドの思想家トマス・モアは、1516年の著作『ユートピア』の中で冒険家にそう語らせていた。この社会のモットーは寛容、簡素、平等の3つだけだ。全市民が全体の幸福に貢献するよう努め、誰一人不自由はしないよう気を配るという、共同経済を基盤に成り立っている。この所在地不明のユートピアの幸運な国民は、1日6時間だけ働き、余暇には読書、音楽、哲学を楽しむ。嫉妬心が起きないように市民全員が同じ服を着て、宝石や財を蓄積することは無意味な行為としてひどく軽蔑する。

といっても民主主義のユートピア島は完全無欠というわけではない。トマス・モアは、住民の抱える課題と彼らが編み出した解決法について詳しく述べ、どんな社会においても、社会の基盤と機能に関する再検討は必須であるということに改めて気づかせてくれる。だから、『ユートピア』の副題に「社会の最善の政体論」とあるのも、驚くにはあたらない。

トマス・モアがここで提案するのは、理想都市の硬直したモデルではなく、16世紀のヨーロッパの王政に取って代わる可能性を秘めた社会体制についての哲学的考察なのだから。これは野心的な試みであり、モアが提示したユートピアという造語の本質をよく表している。すなわち、より良い世界の実現を思い描くという選択肢が、私たちにはあるのだ。

ジブラルタル海峡の
彼方にある
神話的な場所

プラトンの時代以降、
海面は高くなっている

右：
1803年、フランスの地理学者ボリ・ド・サン=バンサンは、アゾレス諸島、カナリア諸島、マデイラ諸島付近にアトランティス大陸があるのではないかと想像した。そこに古代世界の怪物や不思議な生物を住まわせた。

アトランティス

理想と挫折のユートピア

**海に沈んだ文明の物語は、
何よりもまず反面教師とすべき政治的寓話だ。**

アトランティスは、今なお人々を戦慄させてやまない地名であり、理想と挫折の象徴である。プラトンが想像した夢の国は、ジブラルタル海峡の果てに位置する栄華を極めた社会で、美徳と節制に基づいた完全なる幸福の中で、高度に発達した文明が達成されている。権力は、民主的な多数決で選ばれた者ではなく、「正義」の概念を体現し、社会全体の利益を担保する責任を持つ「守護者」に委ねられる。そのかたわらで、兵士たちは国の安全を守り、農民たちは共同体への食糧供給を担う。しかし、その黄金時代は短命に終わった、とプラトンは続ける。経済面での成功にすっかり慢心したアトランティス人たちは、神々からの罰を受けることになるのだ。ゼウスの一声で、アトランティスは波間にのみこまれてしまう。

アトランティス滅亡の背景にはっきり見て取れるのは、ギリシャ思想において最も罪深いとされる傲慢と思い上がりである。プラトンによれば、理想の社会には内部に生じる過剰さを警戒し予防する機能がなければならない。要するに、アトランティスの伝説とは政治批判であり、哲学者プラトンが同胞市民に対し注意を喚起するための寓話なのだ。権力や闘争心や金銭欲からの甘いささやきに屈することなく、原点である古代アテナイの成立基盤へ回帰することが大切だと説いている。アトランティスの悲運が多くの人の心を打つのは、まさにそこに価値ある警告が見いだせるからである。理想の社会は本質的に脆弱であり、多大な警戒を必要とする。警戒なくして真のユートピアは成立し得ないのだ。

下：
ハンガリーの版画家ゲザ・マローティが想像した、アトランティス大陸の控え壁（1941年）。

Tropique du Capricorne.

Longitude Occidentale du

N.º III
CARTE
CONJECTURALE
DE
L'ATLANTIDE
Pour servir aux trois derniers Chapitres
des Essais sur les Isles Fortunées
Par BORY, de St. Vincent.
Nota. Les noms en noir sont ceux de première antiquité, ceux qui sont en Bleu sont ceux des anciens, et ceux qui sont en rouge sont les noms modernes.
OCÉAN
ESPAGNE
LUSITANIE
BÉTIQUE
MER MÉDITERRANÉE
Gadeira
Détroit
Gades
MAURITANIE
MONT ATLAS
LIBYE
ÉTHIOPIE
HESPÉRIDE ou
LES ATLANTES
Purpuraria I.
Madere
Isles
Jardins des Hesperies
Isles Fortunées
Ténériffe
Cerna
Mont Atlas
Fer
Canarie
Canaries
Cap Cantin
Cap de Geer
Cap Non
Cap Bojador
Cap Hespérien
LAC TRITONYDE
Cap Blanc
Sénégal Fl.
Cap Verd
Gambie Fl.
AMAZONES
Paris

黄金郷（エルドラド）

無尽蔵の富という夢

莫大な量の黄金を産出するという秘境の伝説に
コンキスタドールや冒険家は数世紀もの間とりつかれていた。

ギアナ地方にあるとされた伝説の場所

先住民にとって金に商品価値はなかった

スペインからの入植者たちは新大陸に到着するや、マルコ・ポーロがインドへの航海中に見たという黄金都市を探し始めた。全身に金粉を塗った首長がグアタビータ湖で沐浴し、村民たちは金銀宝石を湖に投げ込んでいたという先住民ムイスカ族の伝承を聞くにつけ、スペイン人たちの期待はさらに高まった。16世紀半ば、フランシスコ・デ・オレリャーナがアマゾン川流域のパリメ湖岸に裕福な町を発見したと断言している。1595年と1617年にはウォルター・ローリー卿がギアナ地方を探索したが、収穫なしに帰国している。最後の探検では息子を死なせ、自身もスペイン統治下の町を略奪したかどで訴えられて、イングランドに帰国後、死刑台で果てた。300年にわたる探求もむなしく、伝説の都から巨万の戦利品を持ち帰るという夢は破れたが、南米大陸での飽くなき探検のおかげで、新たに作成される地図はどんどん精緻になっていった。

時が経つにつれ、黄金郷（エルドラド）という言葉は、何でも手に入る架空の場所の代名詞となった。ヴォルテールの『カンディード』という小説で、黄金郷にたどり着いた主人公カンディードがユートピア的な都市を発見するくだりは、18世紀のフランス社会を暗に批判している。黄金郷が実在していたとしても、それは黄金ではなく、まったく別の金属の産出地だったことが、今日では判明している。ボリビアの山深くで、かつて莫大な量の銀を埋蔵していたポトシ鉱山である。

左：
出陣前に軍装備を身につけたコンキスタドール。必ず存在すると信じている土地の方角へ希望に満ちた眼差しを向けている。

左ページ：
コンキスタドールたちは、金貨や金細工でいっぱいの莫大な財宝の発見を心に思い描いていた。貴石で飾られたこのピラコチャ像はそんな宝物の1つである。

Septem
trion
Fraygles
Testigos
Tabago
la Trinidad I.
Bocca del Drago
Punta de la Galera
Mabouyes
Paria
G. de Coriaco
NUE
VA
AN
DA LOV
SIA
GOLFO DE PARIA o DE GUANIPA
MAR
D
Tivitivæ Populi
Caribes
C A R I B A
G U I A
Aro maia
Montana
Canuria
Cassipagotæ
CASSIPA LACUS
Epara goti
Orenoque
Arawagotæ
Wacarimæ
Wacceewayi
Arwaccæ
Caribes
Mucki keri
MANOA o EL DORADO
LAC OU MER que les
Caribes appellent PARIME,
les Iaoyi ROPONOWINI.
LIGNE
ÆQUINOCTIALE OU ÆQUATEUR
CAMSUA
Epuremei
APANTA
Apantes
PROV.
CARIBANA
Comaruri
Iamnes
Carupatates
Tuma
Guarana casanes
Vrraba
Castetios
Caraibes
Calibes
Arotæ
Saimagotes
Assawayi
Saymani
Amapaia
Occi dent
Mi di

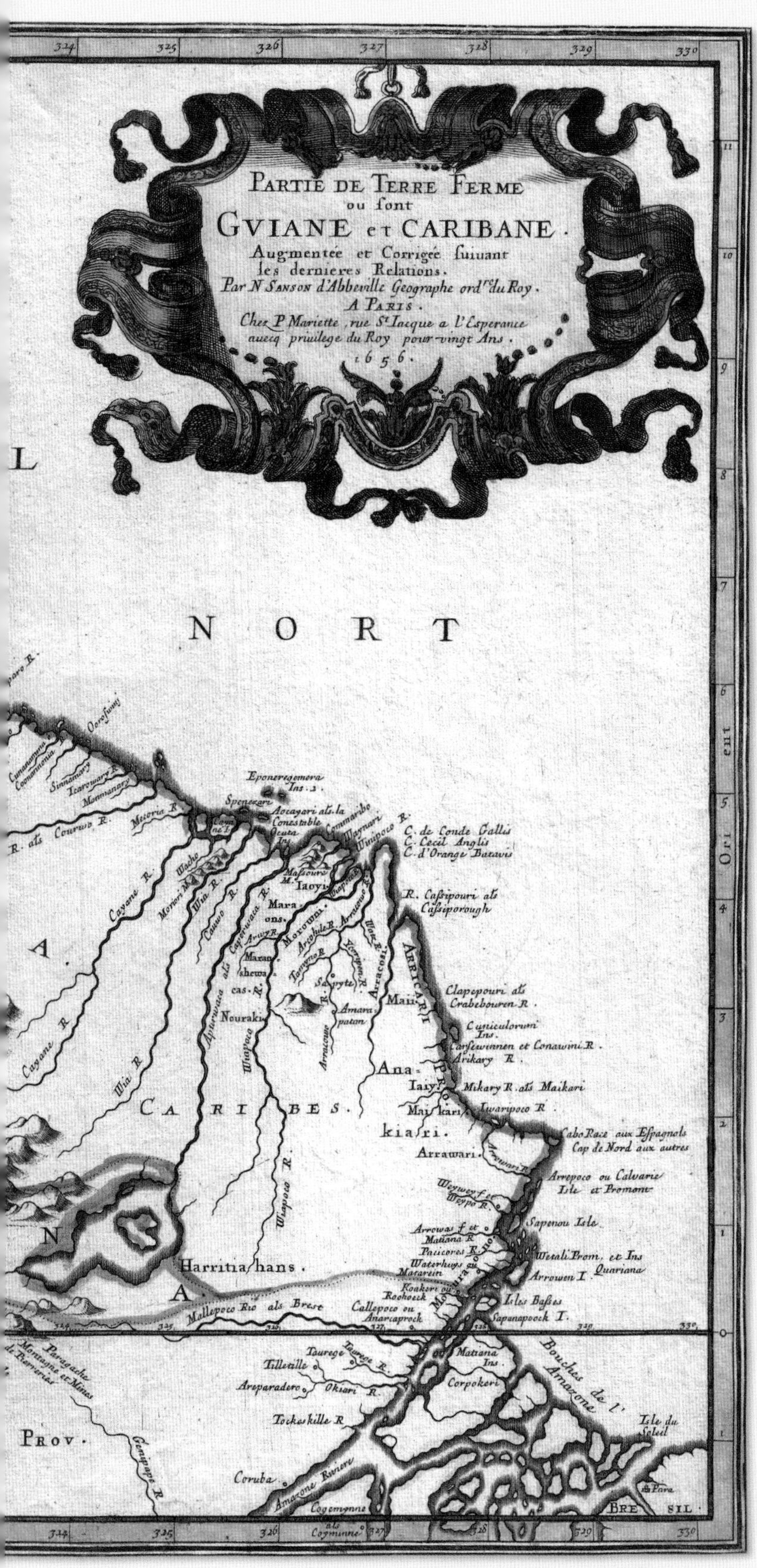

左：

黄金であふれる国を何年も探し続けたヨーロッパ人は、探索の成果や先住民からの聞き書きをもとに地図を作製した。サンソン・アブビルによるこの地図では、黄金郷はパリメ湖という湖の西にある。ウォルター・ローリー卿による1595年と1617年の探索、そしてローリー卿が現地で収集した証言が主な情報源だ。アマゾン川流域の真ん中にある巨大なパリメ湖は実在しないが、同じ名前の広大な平原地帯は雨季になると冠水し、湖にも似た景観を呈する。しかし伝説の黄金郷に関しては、その痕跡さえ見た者はいない。

空想世界の地球儀

- **ヘラクレスの柱**：古代人が認識していた、既知の世界と危険な未知の世界との境界
- **ヘスペリデスの園**：ギリシャ神話より
- **幸福の島**：6世紀の神学者、セビリャのイシドールスの著述より
- **天国**：9世紀の『聖ブレンダンの航海譚』より
- **アバロン島**：アーサー王物語より
- **エデンの園**：聖書および中世に作製された地図より
- **キタイ（契丹）**：マルコ・ポーロの報告より。1298年
- **プレスター・ジョンの王国**：12世紀の伝説上のキリスト教国
- **未知の土地**：フランドル人の地図製作者オルテリウスによる。1570年
- **太陽の都**：哲学者トマソ・カンパネッラの著作より。1623年
- **ベンサレム**：フランシス・ベーコンの『ニュー・アトランティス』より。1627年
- **レムリア大陸**：動物学者エルンスト・ヘッケルの『自然創造史』より。1870年
- **ムー大陸**：作家ジェームズ・チャーチワードの著作より。1926年
- **トロイア王国**：ホメロスの叙事詩より
- **ジパング**：マルコ・ポーロの報告より。1298年
- **ボハドル岬**：既知の世界の南端
- **コンゴ王国**：ガブリエル・ド・フォワニの著作より。1676年
- **サバア王国**：探検家ピエトロ・ランブーロの報告より。15世紀

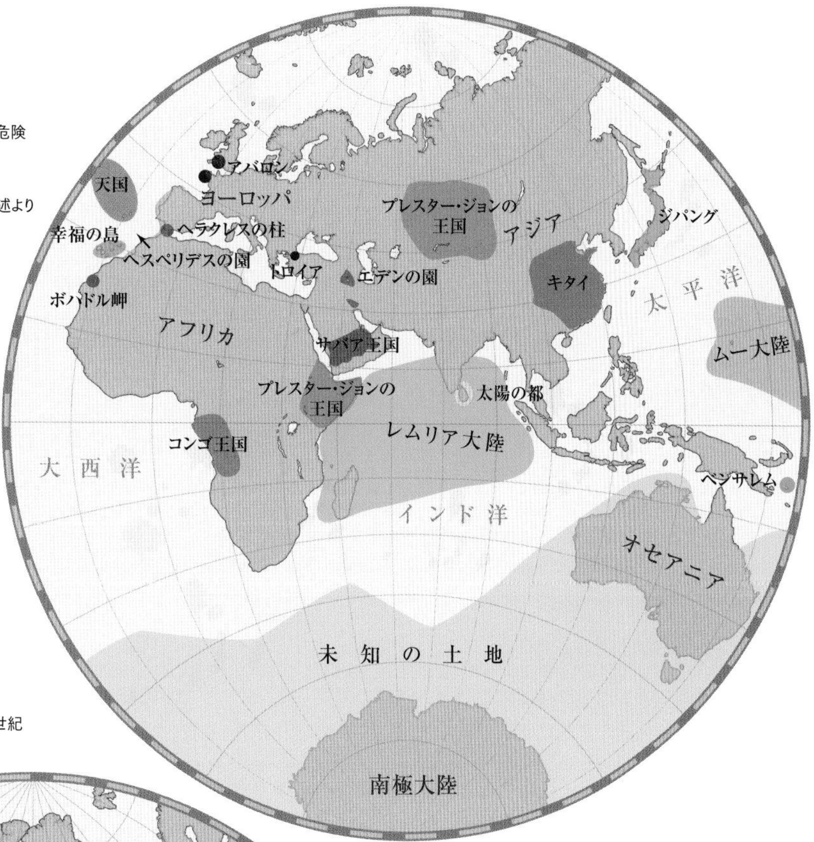

天国
アバロン
ヨーロッパ
プレスター・ジョンの王国
アジア
ジパング
幸福の島
ヘラクレスの柱
ヘスペリデスの園
トロイア
エデンの園
キタイ
太平洋
ボハドル岬
アフリカ
サバア王国
ムー大陸
プレスター・ジョンの王国
太陽の都
レムリア大陸
コンゴ王国
大西洋
ベンサレム
インド洋
オセアニア
未知の土地
南極大陸

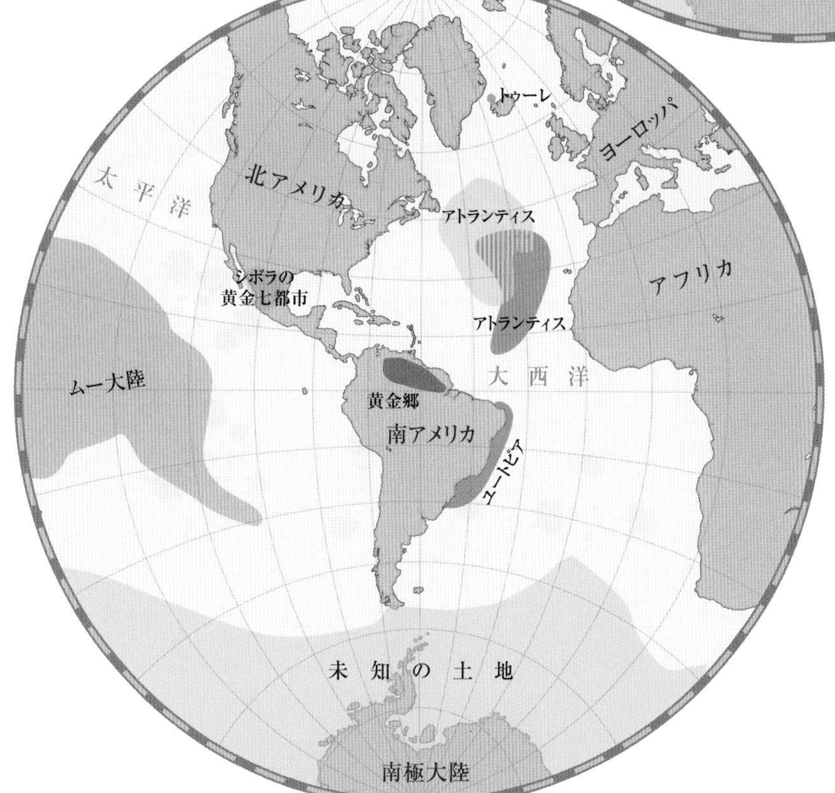

- **アトランティス**：プラトンの『ティマイオス』より。紀元前360年
- **アトランティス**：キルヒャーの著作より。1665年
- **黄金郷**：コンキスタドールの探索より。1530年頃
- **ユートピア**：トマス・モアの著作より。1516年
- **シボラの黄金七都市**：スペインのコンキスタドールの伝説より。16世紀
- **トゥーレ**：冒険家ピュテアスが記述した世界の最果て。紀元前4世紀

南スーダン、ウガンダ、エチオピア、ケニアの間にあるビクトリア湖付近の架空の場所

人種隔離政策反対運動のシンボル

ワカンダ アフリカの理想郷

アフリカが闇の奥から抜け出して、完全な独立を果たし、豊かな人的そして自然の資源を存分に活用できたなら？

1966年、米国の出版社マーベル・コミックの作品の中に初めて登場したワカンダは、さまざまな点で想像上の国家である。少なくともその位置はケニアやエチオピアの付近らしいというだけで、詳述はされない。植民地化されたことは一度もない。アフリカの一国家とはいえ、よくある悲惨なイメージとはかけ離れた、まさにユートピアである。財力があり、時代の先を行く強大な国家という設定は、9～14世紀にかけて栄えたガーナ王国やマリ帝国を連想させる。地球外由来の希少鉱石であるビブラニウムの鉱山があるため、その気になれば地球征服さえ可能だ。他国からの干渉は一切受けず、高い知性を駆使して国の資源を管理するのは、若き支配者ティ・チャラ、別名ブラックパンサー。王国の王子であり、初のアフリカ出身のスーパーヒーローである。金髪のヒーロー「キャプテン・アメリカ」の国に出現した、斬新で破壊的なキャラクターだ。

公民権運動のただ中にあった当時の米国で、人種差別や植民地主義的抑圧のないアフリカという夢は、アフリカ系アメリカ人社会で異例の反響とともに受けとめられた。2018年公開の大ヒット映画『ブラックパンサー』によって、ワカンダとそのアフロフューチャリズム的美意識は全世界に知られるようになった。「ハリウッド的ステレオタイプの視点から制作されている」「植民地時代の絵葉書レベルの文化的価値基準により戯画化された矮小なアフリカを描いている」といった理由で、この映画を批判する声もある。しかし空想の世界ワカンダを通じて、私たちは現実を飛び越え、希望あふれる未来のアフリカを思い描くことができる。また、グローバル化したエンターテインメント産業でアフリカが描かれるなど、10年前には想像もできなかったことを思うと、先進的な作品であることは間違いない。あとはこの映画の世界観を現実化するだけだ。

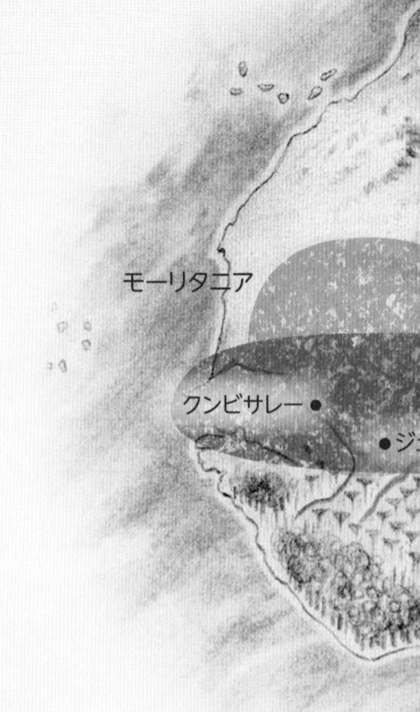

左：
現在はザンビアとジンバブエの自然国境となっているビクトリア瀑布はスコットランドの探検家デビッド・リビングストーンを魅了した。19世紀中頃にこの滝を発見したリビングストーンは、滝に君主の名をつけた。

22-23ページ：
1375年頃に書かれた海図。緻密な装飾が施された海図にはマリ帝国の伝説的君主が登場する。

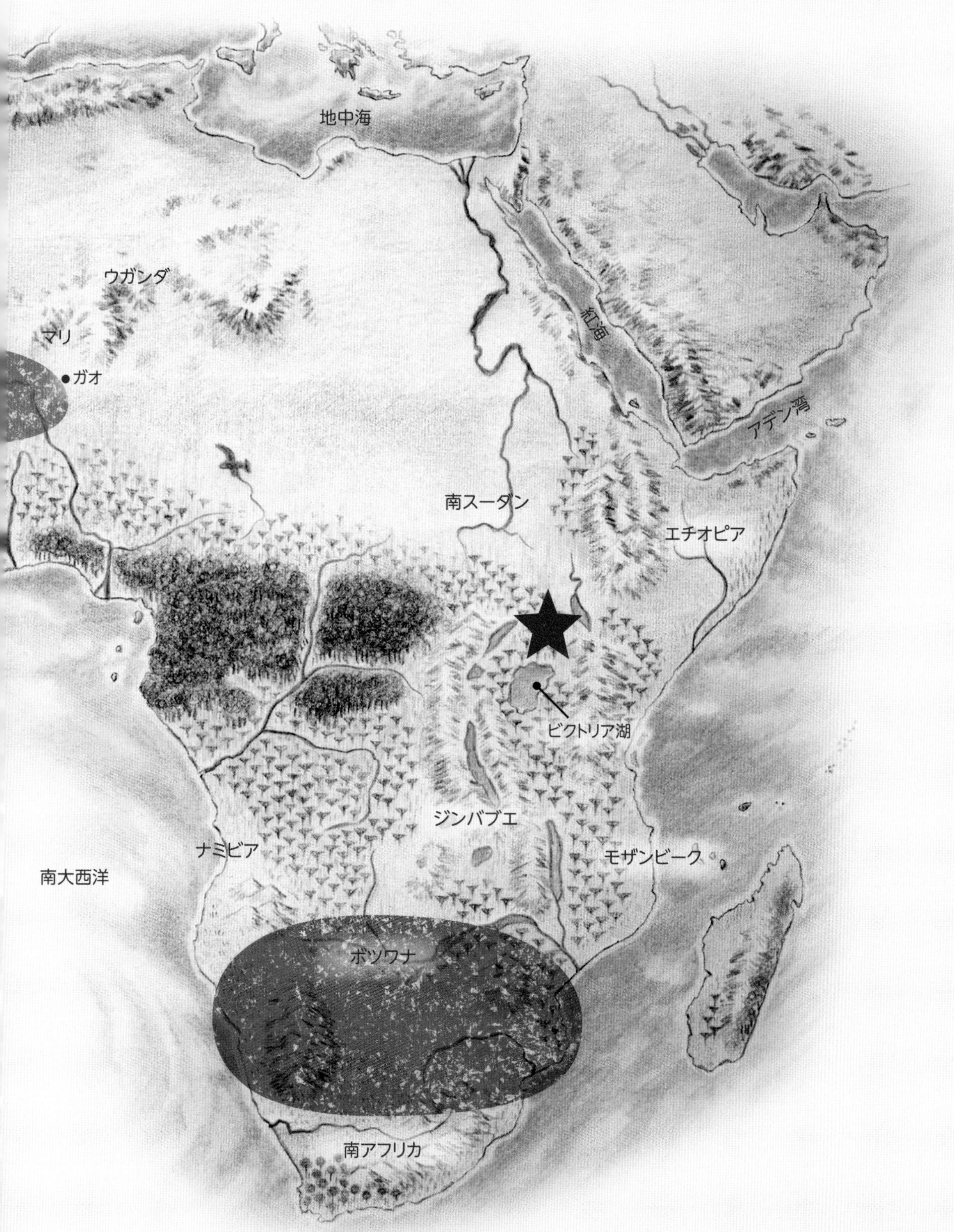
地中海
ウガンダ
マリ
ガオ
紅海
アデン湾
南スーダン
エチオピア
ビクトリア湖
ジンバブエ
ナミビア
モザンビーク
南大西洋
ボツワナ
南アフリカ

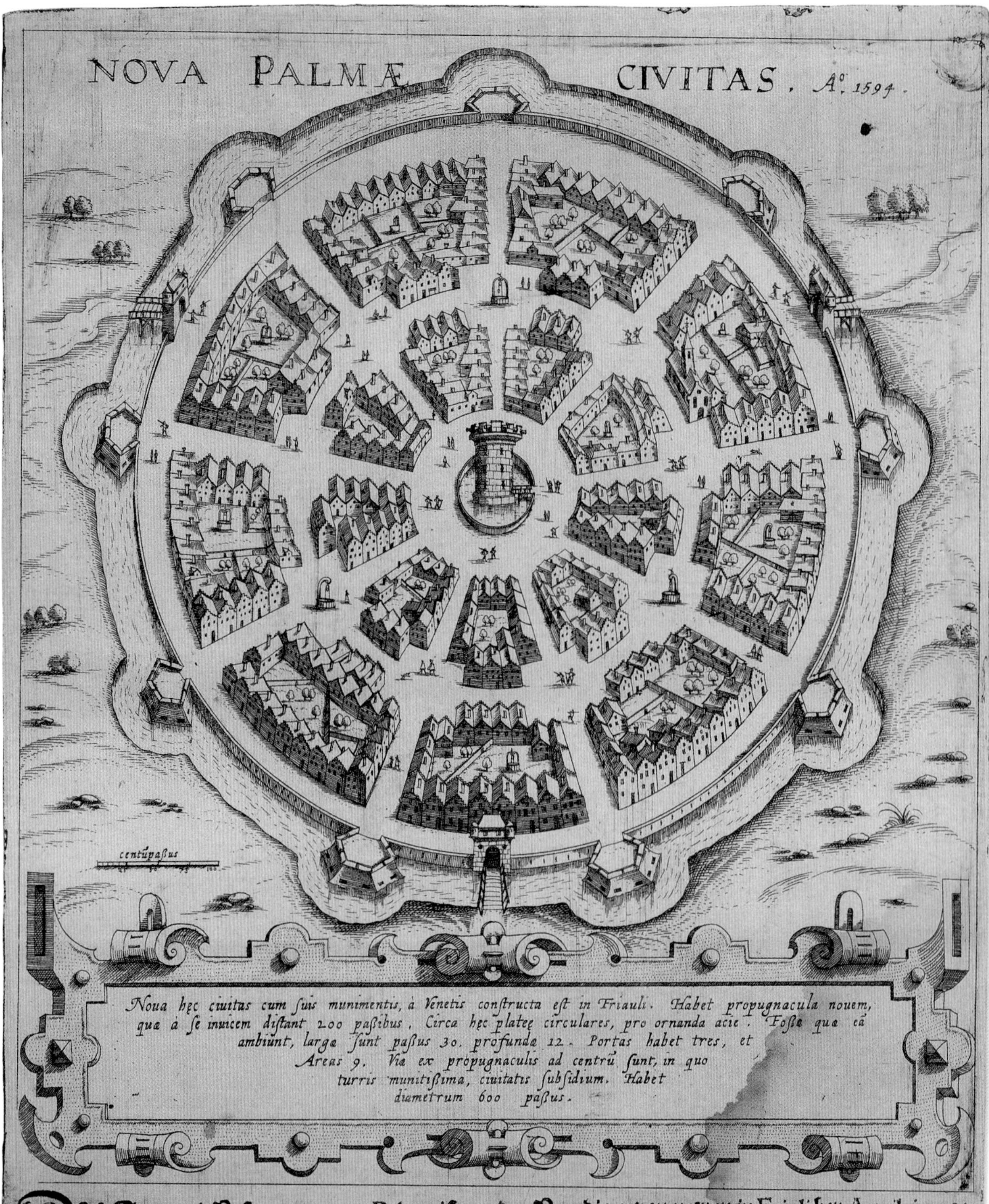

Diſe Statt vnd Veſtung genannt Palma, iſt von den Venediger von newen in Frioli bey Aquileiam gebaut. Hat 9. Paſteyen / vnd iſt eine von der andern 200 Schritt / die Graben ſo vmbher der Statt / iſt 30. Schritt breit / vnd 12 tieff. Neben den Paſteyen iſt inwendig ein runde Gaſſe zum Standt im Sturmb gericht. Hat drey Thor / vnd 9. Märckt oder Plätz / von jeglicher Paſteyen oder Bolwerck gehet ein Gaſſen biß zu mitten / an den Haubtplatz / ſo auch ein runde Gaſſen iſt. In Centro auff dem Haubtplatz zu mitten der Statt iſt ein feſter ſtarcker Thurn / darauß man in allen 9 Gaſſen / alſo auch auff alle 9. Paſteyen ſtreiffen kan. Der Diameter der Statt iſt 600. Schritt. Die maß neben der Statt gereſen iſt 100. Schritt.

パルマノバ

敵の戦意をそぐ完璧な要塞

16世紀末、大砲が普及すると、
理想の市街は難攻不落であることも求められるようになった。

ウーディネ県
（イタリア）

不落の要塞

上：
ユネスコの世界文化遺産に登録された要塞都市。現在5500人が居住している。

左ページ：
ベネチア人による建築作業が行われていた頃、1594年に作製されたパルマノバの版画地図。

1593年、ベネチア共和国はオーストリアやトルコからの攻撃に備え、「静謐この上なき共和国」（ベネチア共和国の呼称）の東の国境における防御を強化することを決めた。国内第一級の軍事建築家や城塞工事技師によってベネチア州ウーディネ県の草原の真ん中に建てられた理想の要塞は、「パルマノバ」と名づけられた。

全体の輪郭は9つの角を持つ正多角形で、入り口は3つある。設計者たちが様式美と戦略性の両方において完璧であろうとした意気込みが伝わってくる、見事な仕上がりだ。

パルマノバはありのままの混沌とした自然とは対照をなす幾何学的な構成の傑作であり、外界からのどんな侵入に対しても防御できるようになっている。城塞の中央には六角形の駐屯所が設置され、六角形の各辺の中央から6本の広々した通りが始まっている。敵から攻撃を受けた場合、兵士たちは放射状に並ぶ道路を使って、城壁上に置かれたおのおのの持ち場へと速やかに向かうことができる。構造的にも戦略的にも驚嘆すべき建築物だったパルマノバは、あまりに完璧に設計されているため、陥落したことが一度もないどころか、攻略を試みる者さえいなかった。

パルマノバは、ヨーロッパでは、1世紀後にボーバンによって建築されたフランスのヌフ・ブリザック（オーラン県）をはじめ、多くの城塞のモデルとなった。当然の話だ。敵の攻撃を抑止する手段としての真価を発揮した砦、これこそ理想の要塞ではないか。

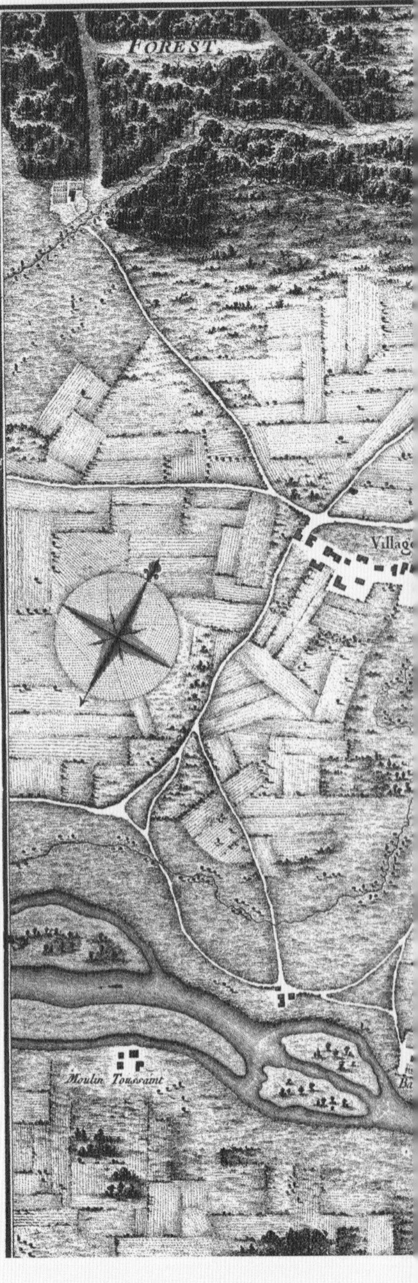

上：
アルケスナン王立製塩所の中心に立つ製塩所長宅は「オキュラス（眼窓）」というあだ名で呼ばれていた。敷地内すべての建物が見渡せる設計になっている。古代ギリシャの神殿に着想を得ているものの、立方体と円柱のブロックを組み合わせた柱を見れば、建物自体は先進的だったことが分かる。

ジュラ県
（フランス）

製塩所の上部の半円部分は
結局完成しなかった

アルケスナンの王立製塩所

経済効率と労働者の幸福を両立させる総合施設

かつて、より良き社会の実現に貢献しようとした産業建築物があった。

18世紀末、アルケスナン王立製塩所建設という依頼を受けた建築家ニコラ・ルドゥは、常識外れの建物を創造するという念願がとうとうかなう、と思った。ショー王立製塩所とも呼ばれるこの製塩所は、壮大な建造物でなければならない。莫大な量の岩塩を精製しなければならないうえ、塩はまさに「白い金」と呼ばれるほど国庫を潤すものだったからだ。しかしそれだけではない。啓蒙主義を子守唄に育ったルドゥは、完全な総合施設としての製塩所を目指した。調和に満ちた建築が人々の精神を高揚させ、働く喜びをもたらす――そんな場所でなければならないと考えたのだ。

こうして建てられた製塩所は、半径185メートルの半円形で、中央には製塩所長宅が威容を誇っている。三角形のペディメント（破風）を飾る丸屋根窓にちなんで通称「オキュラス（眼窓）」と呼ばれる所長宅からは、製塩労働者のための住宅と菜園がある区域から伸びてくる９つの小径を監視できる。

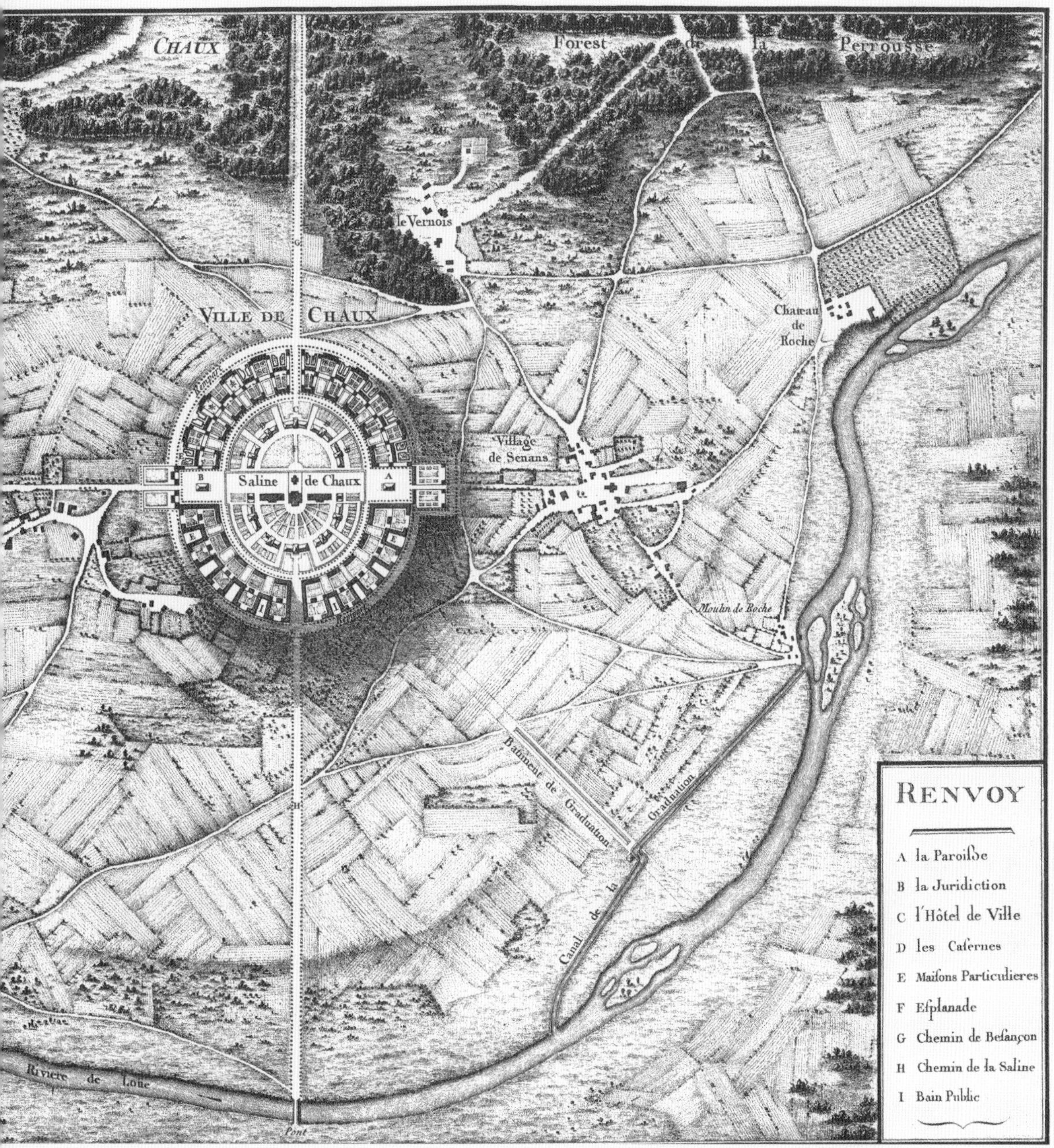

パノプティコン（全方位を監視できる建物）のような円状の配置、そして労働者の居住環境に対する配慮のおかげで、製塩所は経済効率を最適化する生産拠点であると同時に、ジャン＝ジャック・ルソーの哲学に沿った衛生学および倫理学の原則に基づく理想の建物でもあった。

しかし、この先見の明を持つ建築家のユートピア構想は、皮肉にも1789年の革命により中断されてしまった。そうでなければ、この壮大な建築物は理想の都市の中心に鎮座していたかもしれない。

上：
1805年頃に作製された王立アルケスナン製塩所の周辺地図（クロード＝ニコラ・ルドゥ作。ピエール＝ガブリエル・ベルトーによる版画）。実際に建設されたのは下部の半円部分のみで、理想の都市はいまだ計画段階のままである。

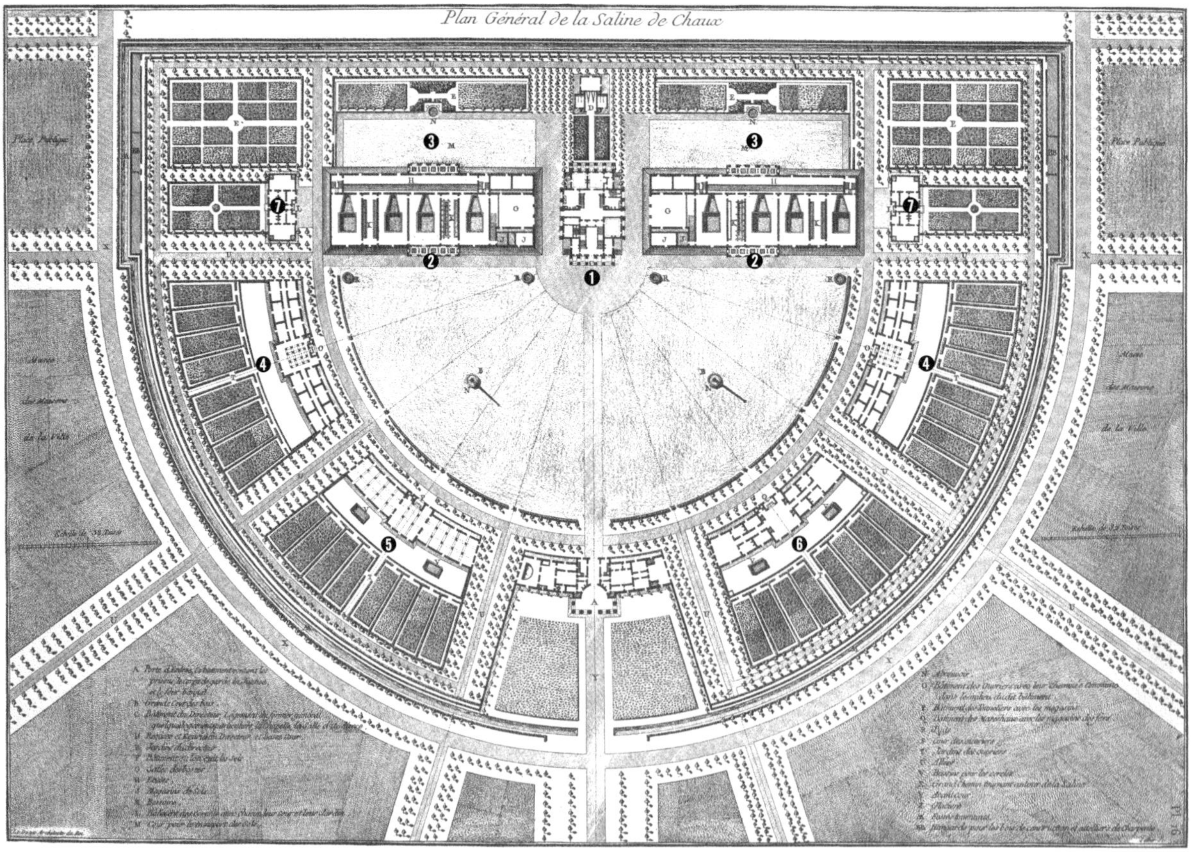

Plan Général de la Saline de Chaux

上：
当時の理想的な産業都市のモデルを参考に設計された王立製塩所の構造は、19世紀に現れた社会的かつ公衆衛生学的な都市計画を先取りしている。
❶ 製塩所長宅
❷ 煎熬（せんごう）工場
❸ 塩の運搬場
❹ 労働者の住居、中庭、および庭園
❺ 樽職人の作業場
❻ 装蹄工の作業場
❼ 事務員の住居、中庭、および庭園

右：
労働者とその家族のための建物。12の寝室にそれぞれベッドが4台用意され、中心には暖炉のある集会室、食事のための台所と共同スペースがある。

右ページ：
真水の灌漑用水路を覆う回廊の内部。

ファミリステール

ある田舎町に出現した社会宮殿

労働者の生活環境が悪化していた19世紀、
ファミリステールは人道主義的ビジョンを具現化してみせた。

労働階級出身ながら鋳造業で財を成したジャン=バティスト・ゴダンは、当時フランスのブルジョア階級だけが享受していたライフスタイルを、自社の工場従業員に提供したいと思っていた。企業城下町の小さな家に別々に住むという個人主義的なやり方に疑問を持っていた彼は、寛容と協同の精神を育む集合居住空間を中心にした計画を進めた。日光、快適な設備、そして衛生を重要視する哲学者シャルル・フーリエの学説に着想を得つつ、ゴダン個人の観点によってフーリエが構想した共同体住居「ファランステール」を再解釈して、ギーズという町に保育園、学校、そして劇場を備えた場所をつくり、「ファミリステール」（別名：社会宮殿）と名づけた。住宅への入居資格に差別はなく、社会宮殿の中にあるアパルトマンで技術者も工場労働者も分け隔てなく家族と住んでいた。全員が賃借人であり、劇場、庭、洗濯場といった福利厚生を平等に享受していた。

1880年、資本と労働の協会を設立した

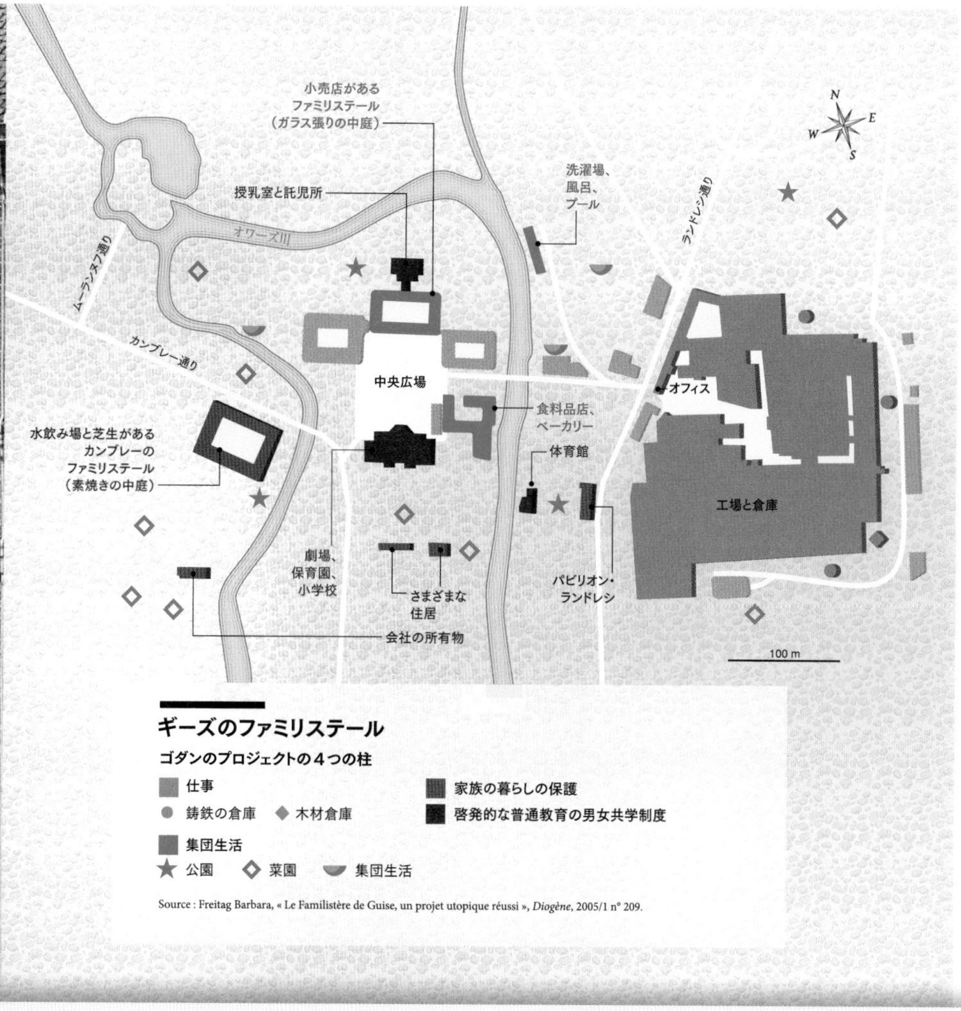

小売店がある
ファミリステール
（ガラス張りの中庭）

授乳室と託児所

オワーズ川

ムーランタフ通り

カンブレー通り

洗濯場、
風呂、
プール

ランドレシ通り

中央広場

オフィス

食料品店、
ベーカリー

体育館

水飲み場と芝生がある
カンブレーの
ファミリステール
（素焼きの中庭）

工場と倉庫

劇場、
保育園、
小学校

さまざまな
住居

パビリオン・
ランドレシ

会社の所有物

100 m

ギーズのファミリステール

ゴダンのプロジェクトの４つの柱

- 仕事
  - ● 鋳鉄の倉庫　◆ 木材倉庫
- 家族の暮らしの保護
- 啓発的な普通教育の男女共学制度
- 集団生活
  - ★ 公園　◇ 菜園　集団生活

Source : Freitag Barbara, « Le Familistère de Guise, un projet utopique réussi », *Diogène*, 2005/1 n° 209.

オードフランス
（フランス）

ファミリステールの
1889年の人口は1750人

ゴダンは、ファミリステールをその中で働き、暮らす人たちの共有財産とした。企業の利益のためだったり、住民の風紀管理のためだったりする経営家族主義的な構想を超越した発想だ。類まれなる経営者ゴダンは、労働者が生活するための場所を設計し、共同体全体の解放を目指したのである。

左ページ：
先見の明があり自社の従業員の福利厚生に心を砕いた経営者、ジャン＝バティスト・ゴダンの像。自らの類まれなる創造物を今なお見守っているかのようだ。

32-33ページ：
ガラス張りの中庭は社会宮殿の中央パビリオンと呼ばれる。

ニューヨーク州、
メーン州、
ペンシルベニア州(米国)

17世紀、
信教の自由は
夢だった

新世界 信教の自由を求めて

17世紀、アメリカ大陸は宗教的迫害を受けた人々の約束の地となった。

米国の歴史は2つの偉大なユートピア建設から始まる。宗教的迫害を受け、英国を離れるしかなかった清教徒とクェーカー教徒がそれぞれ築いたユートピアである。信仰上の違いはあれど、自分たちの理想に適った社会を築くという希望を抱いて新天地へ向かった点は同じだ。清教徒が上陸したのはニューイングランドの沿岸だった。1620年にメイフラワー号から下船したピルグリム・ファーザーズに続いて、大迫害を逃れた2万人が到着した。

彼らは英国生まれの植民地知事、ジョン・ウィンスロップに後押しされて、堕落した英国人たちの手本となるべきユートピア「丘の上の町」を建設した。厳格に伝統を守る清教徒社会では、他人と違うことをしたり反抗したりすることは許されなかった。1692年のセーラムの魔女狩りをはじめ、清教徒の歴史に今も影を落とす冷酷な裁判の数々がそれを物語っている。清教徒社会が米国に残した足跡としては、タウンミーティングの導入や、1636年のハーバード大学創設などが挙げられる。

クェーカー教徒は清教徒の分派である。1682年、クェーカー教徒指導者だったウィリアム・ペンはチャールズ2世よりペンシルベニアに自ら植民地を建てる許可を得た。ペンは平和主義者で、アメリカ先住民を尊重し、ほかの分派の人々も受け入れた。古代ギリシャ語で「兄弟愛の市」を意味するフィラデルフィアは、まもなくロンドンに次ぐ英国領最大の都市となった。こうして米国は、信教の自由の象徴となり、現代世界全体で見ても希少な模範例となったのである。

左：
1682年、シャカマクソン協定の署名に際してウィリアム・ペンとデラウェアの先住民が会見した。この協定によってペンシルベニアは正式に買収されたが、アメリカ先住民とクェーカー教徒たちの友好的な関係はこのあと100年続いた。

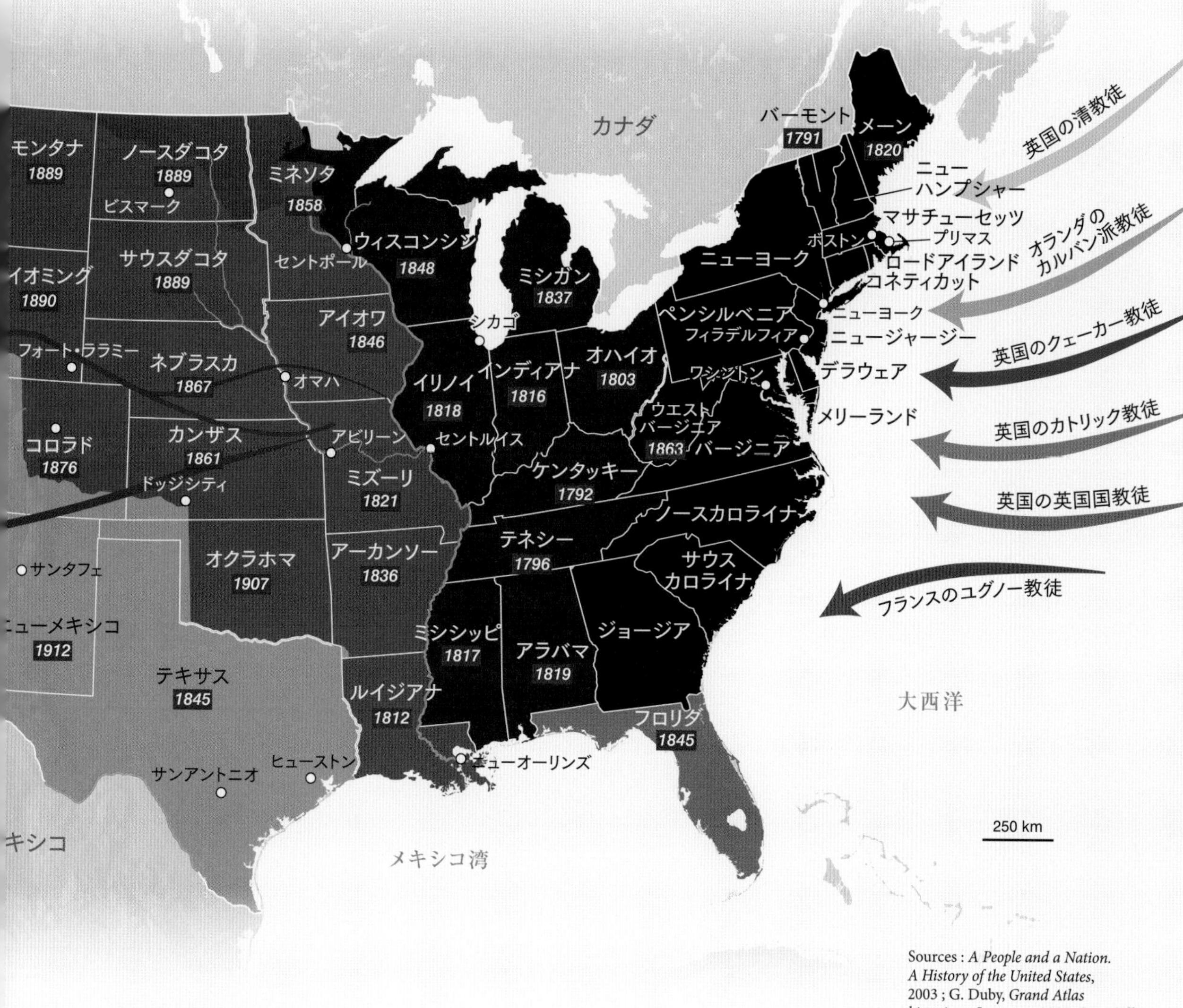

Sources : *A People and a Nation. A History of the United States*, 2003 ; G. Duby, *Grand Atlas historique*, Larousse, 2006 ; Jean Sellier.

米国の西部開拓の歩み

初期入植者の到着

- 清教徒
- カトリック教徒
- 英国国教徒
- クェーカー教徒
- カルバン派教徒
- ユグノー教徒

- 開拓者のたどった主要道
- 米国が侵入し、1848年にメキシコから買収
- 1818年に英国より譲渡された領土
- 1836 合衆国の州として加盟した年

国土の形成

- 1776年に独立した13州
- 1783年に拡大した領土
- 1803年にフランスからルイジアナを買収
- 1819年にスペインからフロリダを買収
- 1845年にメキシコから独立したテキサス(共和国)を併合
- 1846年に英国からオレゴン州領土を譲渡

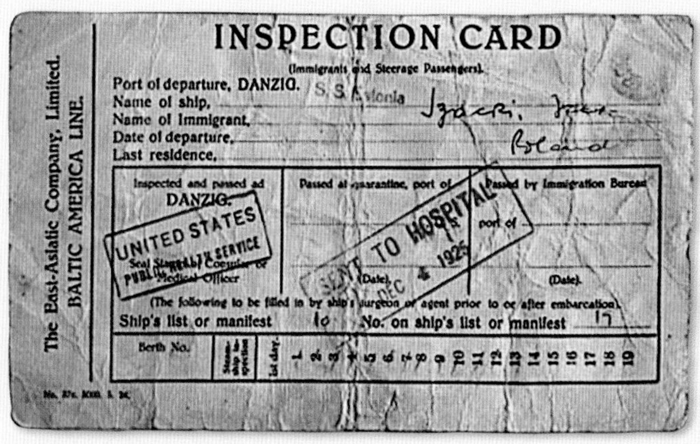

The East-Asiatic Company, Limited.
BALTIC AMERICA LINE.

INSPECTION CARD
(Immigrants and Steerage Passengers).

Port of departure, DANZIG.
Name of ship,
Name of Immigrant,
Date of departure,
Last residence,

Inspected and passed ad DANZIG.	Passed at quarantine, port of	Passed by Immigration Bureau port of
Seal Stamp of Consular or Medical Officer	(Date).	(Date).

UNITED STATES PUBLIC HEALTH SERVICE
SENT TO HOSPITAL DEC 4 1925

(The following to be filled in by ship's surgeon or agent prior to or after embarcation).
Ship's list or manifest 10 No. on ship's list or manifest 17

Berth No.	Steamship inspection	1st day.	2	3	4	5	6	7	8	9	10	11	12	13	14	15	16	17	18	19

エリス島

不安と希望のはざまで

1892年、ニューヨーク湾内にある小さな島はアメリカン・ドリームへの玄関口となった。

ニューヨーク（米国）

1892年から1954年まで稼働

その数、およそ1500万人。前代未聞の移民の流入である。飢饉から逃れてきたアイルランド人。貧困とコレラから逃れてきたシチリア人。迫害から逃れてきた東欧のユダヤ人。そのほか多くの国から移民が押し寄せた。自由を謳歌する親切な米国人に迎えられるものと、誰もが夢見ていたはずだ。しかし、心待ちにしていた「米国へようこそ!」という魔法の言葉を聞く前に、エリス島の移民局で審査を受けなければならない人々もいた。三等船室に乗ってきた場合は、エリス島での手続きを経なければ入国できなかったのだ。一、二等船室の乗客は、連邦当局職員が船内に入ってきて手続きしてくれるので、下船後はすぐマンハッタンへ向かうことができた。米国に財政的負担をもたらさない人々と見なされたからだ。最も貧しい人たちは、地獄と天国の間で何時間も待たされた。ここはある種のノー・マンズ・ランド（中間地点）だ、と彼らは言ったかもしれない。もし英語が話せたなら、の話だが。

エリス島は二重の意味でのユートピアである。移民にとっては自由で豊かな世界への入り口だ。しかし米国政府にとっては、完璧な国民をつくり上げるための選り分けを行うのに理想的な場所だった。最終的には希望者の98%が入国を許可され、自由を与えられている。だが、その後の運命に関しては、一筋縄ではいかなかった。「米国の道路は黄金で舗装されている」と聞かされてきた移民たち。しかし実際の道路は、黄金どころか舗装されてもいなかった。舗装工事をする労働力として迎えられたのが、自分たち移民なのだった。米国政府の夢について、ジョルジュ・ペレックがいみじくもこう書いている。「作業工程の最初にアイルランド人、ウクライナから来たユダヤ人、またはプッリャ州から来たイタリア人を配置する。健康診断、所持金検査、予防接種、消毒という工程が終わると、そこに米国人がいる」

こうして“米国人を製造する”体制はうまく機能した。1億人以上の米国人には、エリス島を通過して入国した祖先が少なくとも1人いる。そしてみんなと同じ理想を思い描くために、大半の人間が自分のルーツを忘れ去った。

上：
ダンツィヒからの移民に発行された検査票。医師と法務官による再検査が必要とある。

左ページ：
アルジェリア、グアドループ、スコットランド、スロバキア出身の移民たち。

38-39ページ：
移民博物館へ続くメインビルディングのエントランスホール。

パビヨン・デ・レーブ

フランスに出現したインドの宮殿

インドの大建築をそのまま自宅に再現した豪華絢爛なユートピア！

シャン・ド・バタイユ城の中に、知る人ぞ知るムガル建築の宮殿、その名もパビヨン・デ・レーブがひっそりと佇んでいる。古典様式の広い庭園の生け垣の向こう、閉ざされた扉の先に、1つの完全な宇宙が広がっているようだ。空想的で、むやみに規模が大きい建築物というだけにはとどまらず、18世紀以降よく見かけるコピーやパスティーシュ（作風の模倣）とは一線を画す。ジャック・ガルシアは、20年間にわたりインドを数十回も訪れて資材を集め、1995年に宮殿の建築を開始した。必要な建材のほとんどは古代、16世紀、17世紀、そして18世紀のもので、幸運にも現存していた資材だ。建築のコンセプトは「観賞用の宮殿」である。もちろんそれはインド建築でなければならないが、決して単なる模倣には堕さなかった。

全長40メートルの人工池「神聖な湖」の

上：
フランスはノルマンディー地方のルーアンから南へ50キロ。17世紀に建てられたシャン・ド・バタイユ城の敷地内には、この世のものと思えないようなムガル様式宮殿が隠れている。一般公開は毎年3月から10月まで。

42-43ページ：
ムガル様式宮殿の正面写真（左）と空中写真。

ノルマンディー（フランス）

タージ・マハル建築様式

周囲には白い大理石で造った16のあずまやと寺院が並ぶ。赤砂の斜面に挟まれた長さ90メートルの運河が遠景をつくり出している。水辺にはアヤメの花が並び、ところどころに植えられたヤシの木が輪郭を際立たせている。この幻想的な世界を設計したのは、造園芸術家のパトリック・ポティエだ。装飾物、家具、そしてエキゾチックな植物が非日常感を醸し出している。壁に囲まれたインド風宮殿は巨大でありながらも、シャン・ド・バタイユ城内のほかの建築物ともしっくり溶け込んでいる。

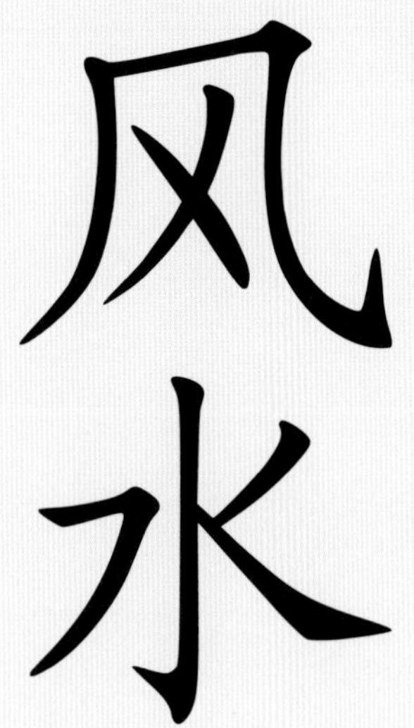

風水

東洋の古代思想に学ぶ空間づくり

方角、位置、地勢を意識した都市設計で、理想の生活空間を追求する。

中国

風水は「風と水の研究」

上：
風水、つまり「風」と「水」を意味する中国語の文字。

右ページ上：
韓国の首都ソウルは風水の原理を重んじた都市計画のもと建設された。

右ページ下：
複雑な羅盤を使いこなすには長年訓練が必要だ。

インテリア雑誌で人気の風水は、禅の境地に至ろうとするBOBO（ブルジョアボヘミアン）の間での流行りには終わらないようだ。風水は中国の道教から生まれ、数千年前から用いられてきた思想で、あらゆる生活空間において各自が快適に過ごすことを目的としている。都市計画、一軒家や集合住宅の建設、空間の再整備や装飾、室内における機能の振り分けなど、すべては目に見えない力とエネルギーの流れとのバランスが最適になるよう考えなければならない。そのために風水師は方角、位置、地勢、資材、色、さらに、西洋人にとっては非常に難解に見える諸々の要素を吟味する。特に重要なものは風水羅盤という複雑な道具で、空間と時間を計測するだけでなく、自然の要素と表象とを結びつけるのにも用いられる。

もちろん風水は科学界からの認知は得られず、ひどいときにはいかさま扱い、あるいは目に見えない力を制御しようとする完全にユートピア的な試みと見なされている。それでも、14世紀のソウルや現在の香港など、昔も今も風水の理想に基づいて設計されたアジアの都市は数知れず、設計者が東洋人でない場合でさえ、あらゆる建造物は風水の原理に従っている。

デカルト的近代合理主義とは対極的な、理想を探求する思想が、現代のヨーロッパでも大きな反響を呼んでいる。かつて嘲弄の的であった風水は今や、シャルル・ド・ゴール空港のターミナル2Gの再整備など、かなり大規模なプロジェクトにも取り入れられるまでになった。

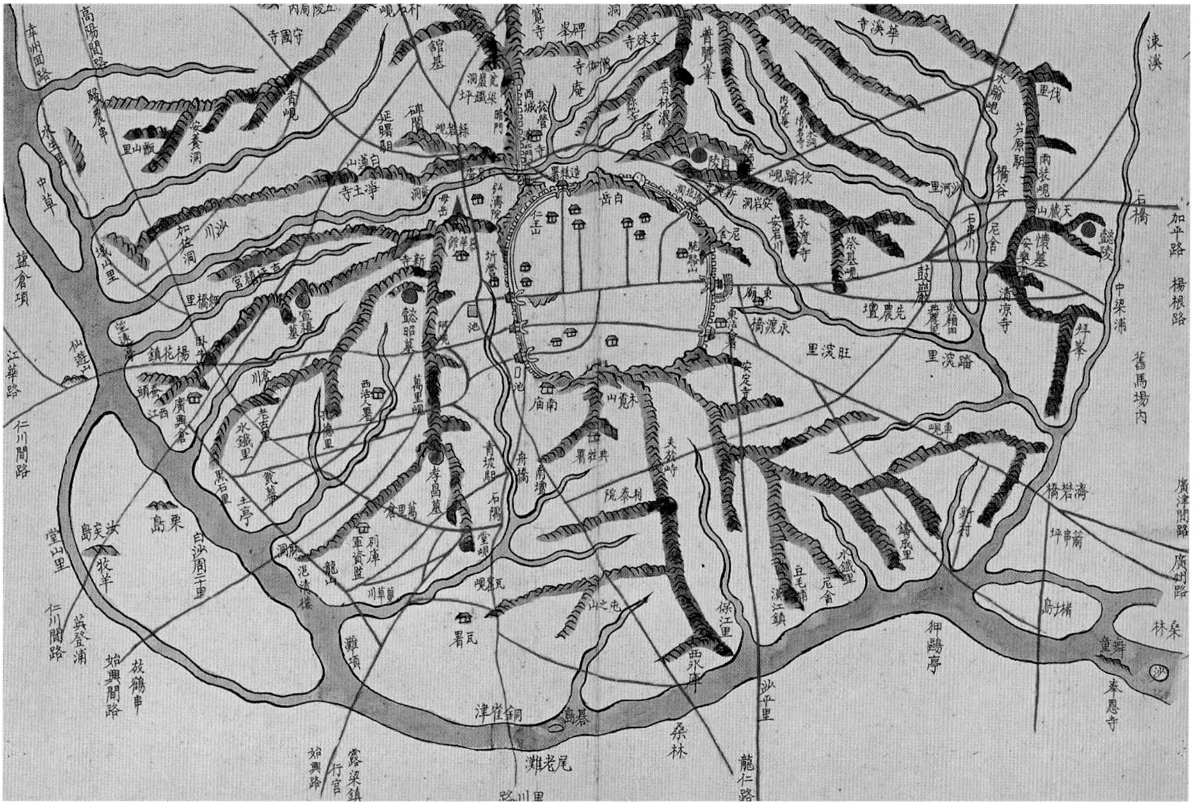
楊根路
加平路
舊馬場内
廣州路
仁川間路
江華路
龍仁路
始興路

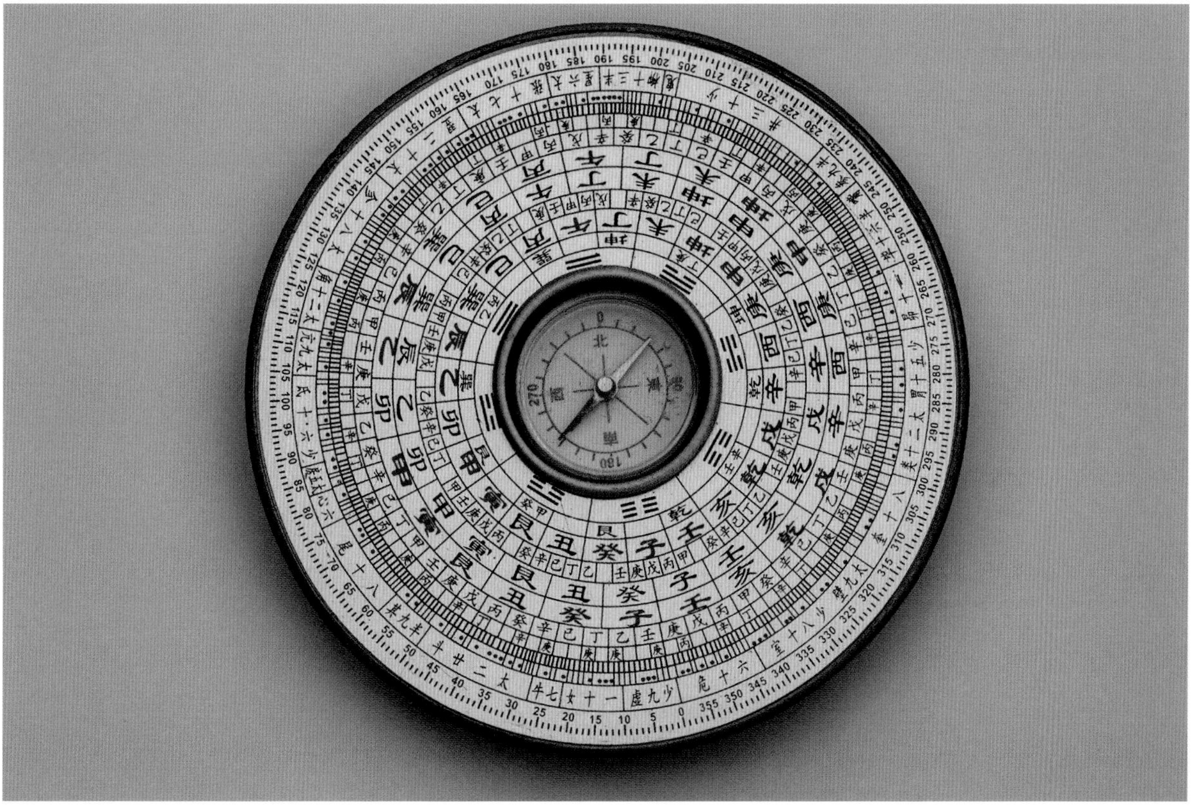

完全無欠の
ユートピア

都市とは、視界が広がり続ける場所なのだろうか？ ある着想や世界観に沿って建物や界隈、あるいは町全体が生み出されるとき、ユートピアには都会的な景観が現れる。共に生きるための新しい都市構造では、どんなことも可能だ。神々を喜ばせるための町が構想され、友愛の共同体の拠点が建設され、イデオロギーのシンボルが創造される。都市計画と建築術は、原野を思いのままに変え、抑制から解き放たれた思考を具現化するのだ。この営みは大体においてより良い結果を、時により悪い結果をもたらす。

アレクサンドリア

古代の光の都

地中海世界の学問と経済の中心地として1000年近く君臨したアレクサンドリア。理想の都市の条件はすべて備わっていた。

東洋的な絢爛の美とギリシャの哲学的厳格さが同居する、驚異の都市アレクサンドリア。紀元前４世紀にアレクサンドロス大王が「アフリカのアテナイ」となるべくエジプトの沿岸地方に建設した都市だ。マケドニア人、エジプト人、ユダヤ人、ガリア人、そして各地から集まった商人など約50万人が住み、ギリシャ語で意思疎通を図る国際色豊かなるつぼであった。地理学者のストラボンはアレクサンドリアを「世界の結び目」と呼んでいる。アレクサンドロス大王がホメロスによってファロス島へ導かれる夢を見たことが、その発想の源だという言い伝えがある。

しかし実際には、この理想都市が影響力を拡大したのはアリストテレスの助言によるところが大きい。第一に、海辺に位置し目の前に浮かぶ島に守られているという戦略的に有利な立地であること。第二に、各地域に特定の役割（港湾、軍隊、文化、スポーツ…）を振り分けやすいよう設計されていること。また、海に向かって垂直の碁盤目状に区切られているので、心地よい海風を楽しむことも、海からの突風から身を守ることも簡単だ。科学の興隆に寄与すべく、ユークリッド、プトレマイオス、そしてヒュパティアら学者たちがこの地に迎え入れられ、かの有名なアレクサンドリア図書館には何十万冊もの書物が秘蔵されていた。

世界の七不思議の１つとして名高い伝説の灯台は、中世盛期まで地中海にその光を放っていた。度重なる侵略や地震によってアレクサンドリア自体が荒廃したあとも、この理想都市の灯台は人々の心の中で周囲を照らし続けている。

右ページ：
世界中の書物をすべて１カ所に集めるという野望のもとに建てられた、伝説的なアレクサンドリア図書館。

ヒッポダモス方式

機能的な都市計画の原点

古代ギリシャにおいて、空間の完璧な組織化と政治の組織化は切っても切れない関係にあった。

ミレトス
(古代ギリシャ)

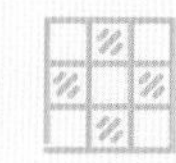

多くの都市が
格子状の都市計画を取り入れた

左ページ：
ギリシャ人が発明した格子状のレイアウトは、世界中の都市計画専門家に影響を与えた。写真はバルセロナの町を上空から見たところ。

アテナイの港湾都市ピレウスでは、曲がりくねった道が無秩序につながっていた。都市計画の専門家だったミレトスのヒッポダモスは、幅の広い道路が垂直に交差する構造につくり替え、人と物資の往来をスムーズにした。その名にちなんでヒッポダモス方式と呼ばれる格子状の都市は、彼が発明したものではない。しかしヒッポダモスはこの都市計画を政治的・ユートピア的な規模にまで高め、ギリシャ思想、とりわけアリストテレスの哲学に大きな影響を与えた。まっすぐな道路を交差させることにより、経済が自由に循環する空間を開いただけでなく、都市内部での政治的なすみ分けを可能にし、理想社会の追求に寄与したからだ。ヒッポダモスにとって故郷ミレトスの再開発は、構造的にも政治的にも完璧な都を創造するという夢を実現する機会となったのである。

彼の定めた基準は厳格で明確だ。まずは決められた地域に住む市民の人数を絞る。次に空間を聖地・公有地・私有地の３種類に分ける。そして最終的に社会を職業によって職人・農民・兵士の３階層に分けた。完璧の域に達するための条件は秩序と統制だ。自由を享受する余地はほとんど与えない。このような都市空間の合理化はその後、数世紀にわたり主流となっていった。

幾何学都市から島国ユートピアへ

都市の境界
海による境界(当時の沿岸地域)
人工的な境界(市街地)

3つの空間
聖地　公有地　私有地

職業による階層
☆ 職人　☆ 農民　☆ 兵士

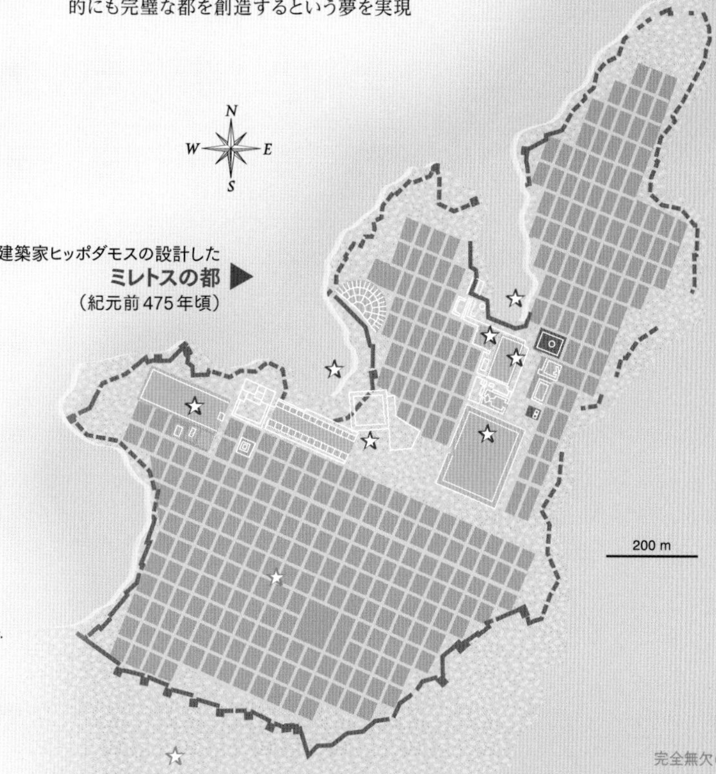

Sources : *Encyclopédie Universalis* ; G. Jean, *Voyages en Utopie*, Découvertes Gallimard, 1994 ; Platon, *Œuvres complètes*, Gallimard, 1977, *Critias*.

上：
ヒッポダモス方式は北米の都市で急速に広まった。これは上空から見たサンフランシスコ。

右：
碁盤目状に道路が交差するニューヨークシティー。

右ページ：
国際宇宙ステーションから見たニューヨークの夜景。

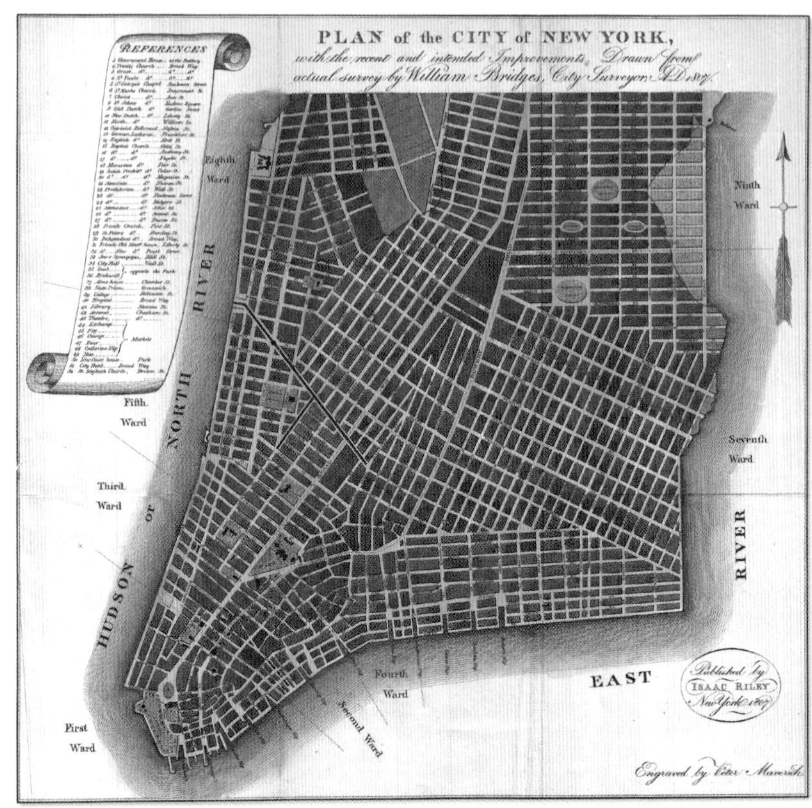

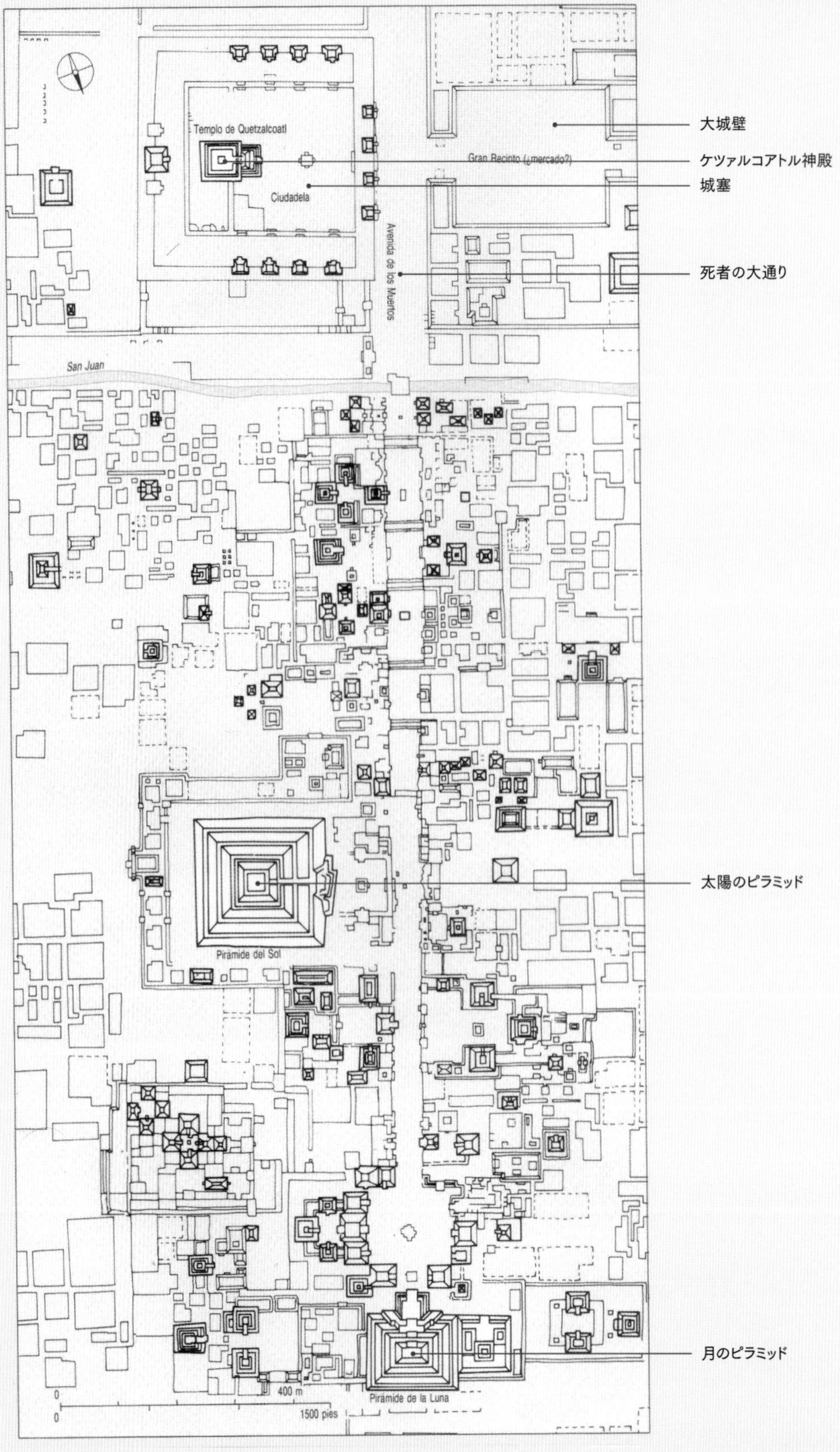
Templo de Quetzalcoatl
Gran Recinto (¿mercado?)
Ciudadela
Avenida de los Muertos
San Juan
Pirámide del Sol
Pirámide de la Luna
0
400 m
0
1500 pies
大城壁
ケツァルコアトル神殿
城塞
死者の大通り
太陽のピラミッド
月のピラミッド

テオティワカン

神々が誕生した都

完璧な幾何学模様で構成された遺跡群は、
神格化された理想の世界と呼応しているように見える。

メキシコ峡谷
(メキシコ)

太陽の動きに基づいて
建てられたモニュメント

上：
ピラミッドの幾何学的形状は、周囲の山々の景観に完全に溶け込むように設計されている。

左ページ：
テオティワカンでは、夏至と冬至における日の出と日の入りの位置から建造物の方向が決められた。

紀元前100年から紀元650年にかけてメキシコ中央高原に存在したテオティワカンは、メソアメリカ文明で最も繁栄した都市だ。最盛期の人口は20万人だった。しかし、この失われた文明にどんな慣習があったのかは、文明が崩壊した原因と同じく、謎に包まれたままである。アステカ人が「神々の誕生する都」と呼ぶ、魅力的であり恐ろしくもあるこの完璧な構造の都市遺跡に、後世の人間は接近を試みてきた。実際、テオティワカンのピラミッドや宮殿は空へ向かって建立されており、全体の構成が宇宙の秩序を反映しているかのように見える。

洞窟の上に立つ一辺244メートルの巨大な「太陽のピラミッド」は、地下世界、地上世界、そして天上界のはざまに位置する象徴的な場所だ。「死者の大通り」の片側に立つ「月のピラミッド」の形状は、すぐ後ろにそびえるゴルド山の姿を思わせる。反対側に位置するケツァルコアトル（羽毛の生えた蛇）の神殿は、テオティワカンでとりわけ華やかな装飾が施された建物だ。贅沢な装飾品をつけた人骨が神殿の壁の下で発見されており、神殿の建立に際して人身御供が差し出されたことが分かっている。

宗教的影響力の大きさにもかかわらず、テオティワカンがなぜ滅びたのかはいまだに不明だ。干ばつのせいか、それとも外敵の侵入のためだろうか。最近の研究によると、都を滅ぼした火事は富裕層の居住地区内だけだったらしい。そのことから、指導者層を標的とする暴動が起きたのかもしれないとされている。宇宙と呼応する都市だからといって、永遠に続くわけではないのだ。

ニューハーモニー村 はかなく散った夢の共同体

経験豊富な創設者の努力にもかかわらず、
労働者のためのユートピアは住民の私利私欲に敗北した。

1824年、ウェールズ出身の事業家で篤志家でもあったロバート・オーエンは、米国インディアナ州にある小さな町をハーモニーソサエティ（ドイツ系移民が構成するキリスト教系共産主義集団）から買い取った。オーエンはこの地を「ニューハーモニー」と名づけ、既存の設備を活用しながら、一から共同体を築こうと試みた。ことユートピアに関して、オーエンは素人ではなかった。1810年代末期、彼はニューラナークというスコットランドの紡績工場を協同労働の地に変えている。ニューラナークは労働者のために上質な住環境を整備し、子どもたちが通う学校も備えていた。

オーエンの米国におけるプロジェクトはさらに野心的だった。それは、教育、科学、技術、そして共同生活を取り入れることで「新道徳世界」を具現化する啓蒙主義の理念に沿った町づくりだった。ニューハーモニーは果樹園、庭園、そして耕作地がふんだんにあるという強みを生かして、自給自足を行い、

ニューハーモニー

インディアナ州に誕生した 最初のオーエン主義共同体

農業共同体のための地域

- 共同体がある緑地帯
- 綿畑、中庭、花畑、羊の放牧地、果樹園
- 厩舎、牛小屋、納屋、穀物倉

自給自足生活のための施設

- 共同施設
- 商業と工業
- 個人住宅

Source : Historic New Harmony

上：
オーエンが築いた労働と自然が共存する町の牧歌的光景。オーエンの社会主義理論普及のための雑誌に掲載されている。

インディアナ州（米国）

1824年から1829年まで実在したユートピア

住民は共同労働の成果を平等に分け合って暮らすことが可能なはずだった。残念ながら、おそらくオーエンは計画の実行を急ぎすぎたし、楽観的すぎたのだ。この町はあっという間に出世欲に駆られた人間や、ただ乗りしたいだけの人間に占領され、たちまち私有財産の原理が復活してしまった。

ニューハーモニーの社会主義実験は1828年に終わりを迎えたが、オーエン主義の影響は色濃く残り、米国で最初に男女共学公立学校と無料図書館を設立した町となった。

CHRISTIANIA
CHRISTIANIA

クリスチャニア コペンハーゲンの無政府主義のオアシス

ほかの町とクリスチャニアを隔てるもの
34ヘクタールの大森林地帯　17世紀に建設された古城塞　運河　湖

不法占拠者たちが建てた理想の都
▼ 共同住宅に改装された元武器弾薬庫　▼ 無許可建築物　= 出入り自由な通路　-- 麻薬売人通り

大がかりなインフラ整備
● 集合住宅　● 青少年のための施設　● 文化施設　● 商業施設　● 町のシンボル

入場自由　入場自由　入場自由　サイケ活動地区　プッシャー・ストリート　ウッドストック（バー）　ニモランド（バー）　月の釣り人（バー）　タンポポ地区　草原地区　ブルーキャラメル地区　コペンハーゲン港　スタズスグラーブン運河　仏塔（象徴的建造物）　クリスチャニアのウサギ島　コペンハーゲン唯一のビーチ　バナナの家　古墳橋　ファキール・スクール（芸術家のアトリエ）　100 m

Source : Laurène Champalle, *Christiania ou les enfants de l'utopie*, éditions Intervalles, 2011

● 1 郵便局
● 2 保健所
● 3 厩舎
● 4 廃棄物リサイクル施設
● 5 工場：最新の集合住宅、映画館、浴場
● 13 パン屋　● 14 食料品店
● 15 自転車組立工場、展示場
● 16 リサイクル建設資材販売所
● 17 蚤の市
● 18 経営参加型オーガニックレストラン
● 6 キャンプ場
● 7 子ども公園
● 8 青少年センター
● 9 スケートボード場
● 10 芸術家のためのアトリエ
● 11 自由ラジオ局
● 12 コンサートホール

クリスチャニア

ひたすら自由を追い求めた町

40年にわたり「自由」を唯一のモットーとする自治区がコペンハーゲンにある。

コペンハーゲン（デンマーク）

大麻の売買は合法

上：
2013年以前のクリスチャニアの地図

左ページ：
クリスチャニアの入り口。デンマークの首都の中心で800人近くがボヘミアン的な生活を続けようとしている。

すべては1971年に始まった。住宅難のただ中、デンマークの首都の中心に放置された軍の仮兵舎を数人のヒッピーや活動家が占拠し、「クリスチャニア自由都市」の誕生を宣言したのである。何年もかけて、町は自前の交通路、学校、印刷所、映画館、ラジオ局を建設していく。さらに国旗（赤地に黄色の丸が3つ並んでいる）はもちろん、独自の通貨も生まれた。クリスチャニアの憲章には、こううたわれている。「私たちの目的は、一人ひとりが共同体全体の幸福の実現に責任を感じるような自治社会を築き上げることだ。私たちの社会は自主管理経済でなければならず、身体的・精神的悲惨は避けることができるという信念を決して忘れてはならない」。クリスチャニアの人々はボヘミアン的なライフスタイルを好み、温室やキャンピングトレーラー、または菜園に囲まれた簡素な家に住んだ。

その一方で、開放的な精神につきもののドラッグに対する行きすぎた寛容は、町のイメージダウンにつながっている。2013年、デンマーク議会はクリスチャニアに与えていた代替共同体としての地位を撤回。同時に、麻薬売買を規制しただけでなく、地区内の居住については国の法律に従うことを課した。住民たちは占拠している土地の20%を買い上げようと奮闘している。クリスチャニアが今もなお自由への愛に満ちた場所であり続けることができるのは、夢の残骸のような瓦礫の間を歩き回りにやって来る観光客の視線があるためだ。

上：
創造性と自然はデンマーク人、とりわけクリスチャニアの人々が好きな言葉だ。

右：
ヒッピー文化の影響が色濃く残るこの町では、何一つ無駄にせず変身させてしまう。

右ページ：
まるで建築家設計のような家。緑樹に囲まれて暮らせるガラスの家だ。

62-63ページ：
壁画、装飾文字、自由な言葉が町の正面玄関を飾っている。

Clean Water
RENT
ONE
LOVE

オーロビル

友愛で結ばれた共同体

個人の自由と共同体としての生活が無理なく調和する多文化の都。

「黎明の町」は1968年、インド南東部の港湾都市ポンディシェリーにほど近い赤土の砂漠に誕生した。現在、豊かに茂る450ヘクタールのジャングルから冷涼な空気が運ばれてくる、豊かな都市として栄え、共同生活のユートピアが日を追うごとに発展している。オーロビルと呼ばれるこのユートピアを設計したのは、哲学者シュリー・オーロビンドのパートナーだったフランス人ミラ・アルファッサだ。その構想によると、オーロビルは「どの国家にも属さない不可侵の場所であり、望みをかなえようと素直に願う善意の人間なら誰でも、世界市民として自由に暮らすことができる場所」である。そのため町は、個人と共同体の変革を象徴する金色のドーム「マトリマンディル」を囲む形で設計されている。ここが町の中心であり、オーロビルの精神的中心地でもある。町は4つのゾーンに分かれ、らせん状に配置されている。手工業と行政サービスが属する産業ゾーン、大陸ごとの文化パビリオンを持つ国際ゾーン、住宅ゾー

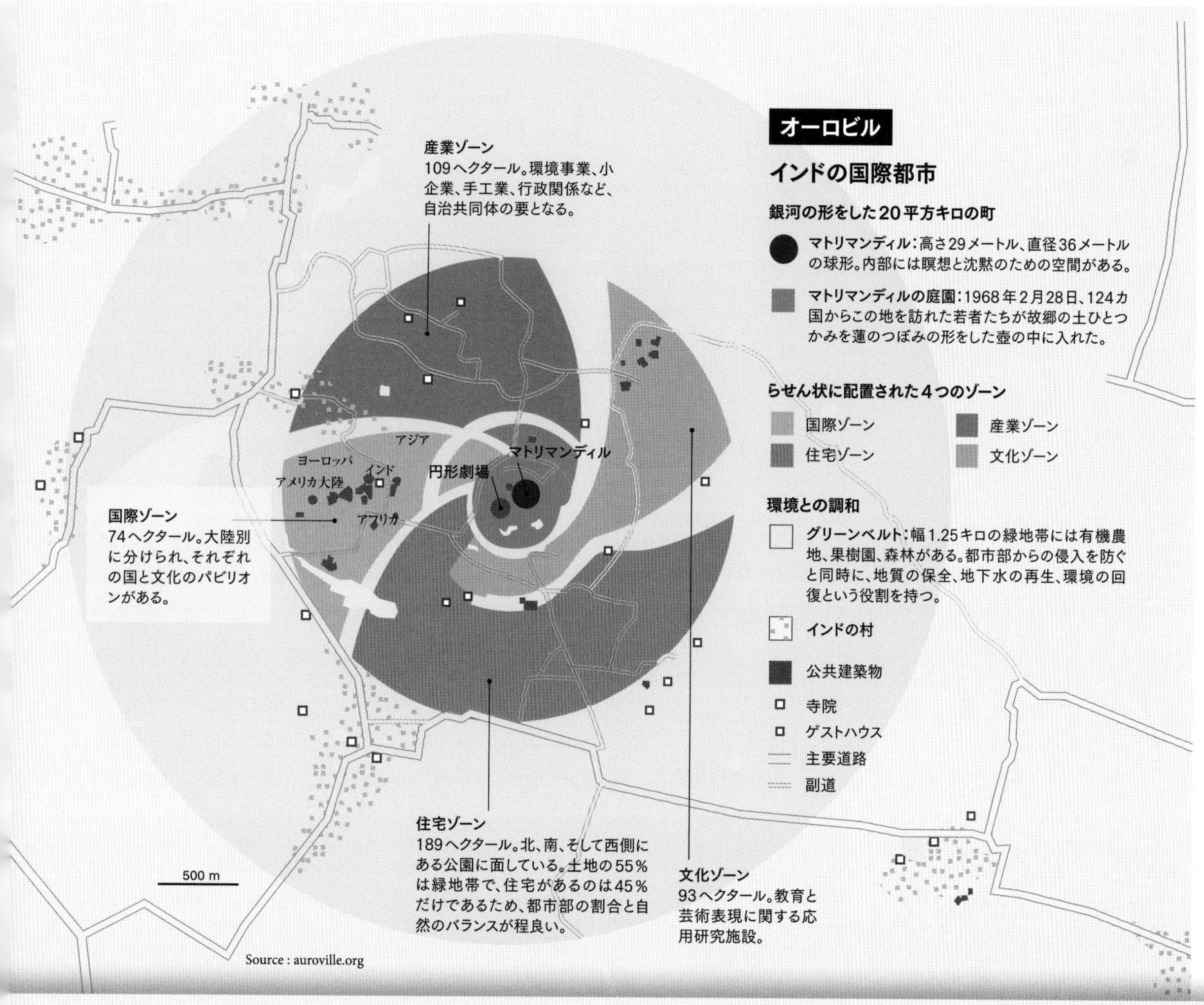

オーロビル

インドの国際都市

銀河の形をした20平方キロの町

マトリマンディル：高さ29メートル、直径36メートルの球形。内部には瞑想と沈黙のための空間がある。

マトリマンディルの庭園：1968年2月28日、124カ国からこの地を訪れた若者たちが故郷の土ひとつかみを蓮のつぼみの形をした壺の中に入れた。

らせん状に配置された4つのゾーン

国際ゾーン　産業ゾーン
住宅ゾーン　文化ゾーン

環境との調和

グリーンベルト：幅1.25キロの緑地帯には有機農地、果樹園、森林がある。都市部からの侵入を防ぐと同時に、地質の保全、地下水の再生、環境の回復という役割を持つ。

インドの村

公共建築物

寺院

ゲストハウス

主要道路

副道

産業ゾーン
109ヘクタール。環境事業、小企業、手工業、行政関係など、自治共同体の要となる。

国際ゾーン
74ヘクタール。大陸別に分けられ、それぞれの国と文化のパビリオンがある。

アジア
ヨーロッパ
インド
アメリカ大陸
アフリカ
円形劇場
マトリマンディル

住宅ゾーン
189ヘクタール。北、南、そして西側にある公園に面している。土地の55％は緑地帯で、住宅があるのは45％だけであるため、都市部の割合と自然のバランスが程良い。

文化ゾーン
93ヘクタール。教育と芸術表現に関する応用研究施設。

500 m

Source : auroville.org

左ページ：
オーロビルの中心に所在する金色のドーム、マトリマンディルは直径36メートルある。このユートピアの精神的支柱だ。

タミルナードゥ州
（インド）

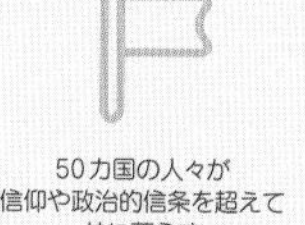

50カ国の人々が
信仰や政治的信条を超えて
共に暮らす

ン、そして芸術とスポーツ活動のための文化ゾーンの4つだ。これらが有機的に結びついて1つの町を形成している。

創設者の死後数年を経た現在も、理想を追求するプロジェクトは続いている。オーロビルの住人は教育、食糧、文化活動、医療サービスを無償で受けられるが、その代わり共同体のために労働をする。私有財産は存在しない。居住地は人々を受け入れる場所であり、相続したり売買したりするものではない。こうした環境で50の国籍を持つ2000人の住民が普遍的友愛という理想のもとに暮らし、実在するユートピアを支えている。

上：
オーロビルにも代替銀行があるが、住民は共同体で仕事をして基本的なサービスが受けられるカードを利用するほうが多い。

右：
以前は不毛な砂漠だった土地の全面に植林が行われ、今のオーロビルはまさに「緑の肺」つまり空気浄化の役目を果たしている。

右ページ：
精神生活はオーロビルの社会的結束の要だ。大勢の人々が定期的に集団瞑想に参加する。

アマラーバティー

ゼロから構築する理想の州都

インド南東部に位置するアーンドラ・プラデーシュ州の未来の州都は、持続可能なインテリジェント都市として設計された。

アーンドラ・プラデーシュ州（インド）

将来、町の半分が樹木で覆われるようになる

上：
アーンドラ・プラデーシュ州の理想の州都、アマラーバティーの3D模型。都市計画事務所が製作したもの。

左ページ：
2015年にアマラーバティーの美術館の屋根に建立された巨大な仏像。高さはおよそ38メートルある。

2014年6月、アーンドラ・プラデーシュ州の一部が、インド第29番目の州テランガーナ州として独立した。歴史的に名高い州都ハイデラバードも新しい州へ譲られたが、10年という期限付きでアーンドラ・プラデーシュ州と共有されることになった。ところが、この痛みをともなう分離からわずか数カ月後、アーンドラ・プラデーシュ州首相のチャンドラバブ・ナイドゥが、新しい州都アマラーバティーを短期間で建設すると宣言。精巧な模型まで披露した。

キャンベラ、ブラジリア、あるいはチャンディガルのようにゼロからつくる理想の都は、クリシュナ川沿いに場所を決め、環境面で非の打ちどころのない町を目指した。緑地帯が面積の半分を占め、道路はほぼすべて歩行者用か電気自動車用とされ、自転車専用道が無数に設けられた。水上タクシー網を設計したのはアムステルダムから招いた専門家だ。すべては綿密な計画の下で進められた。公害問題が深刻化するインドのほかの巨大都市とは対照的に、アマラーバティーは現代的で、持続可能で、豊かな緑に囲まれた都市になるはずだ。

州都の施工式は2015年10月に開催され、各国代表が出席した。しかし未来の州都は多くの面でまだ実現していない。巨額をつぎ込んで大手建築事務所に依頼した真新しいビルが町の中心部に立っているため、州都建設の試みは成功しているかのように見えるが、土地の大部分はいまだ農業地帯であり、最近では誰もむやみに急ごうとしなくなった。机上の空論だった理想の州都は、今はまだ幽霊都市でしかない。

右ページ：
エコロジー都市アーコサンティの野心的な設計図。
まだほんの一部分しか完成していない。

アリゾナ州
（米国）

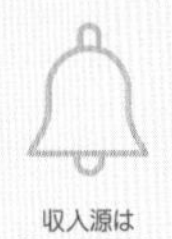
収入源は
鐘の鋳造販売

アーコサンティ

砂漠で実現した未来型自給自足空間

都市計画改革の発祥地である理想の都市は、
50年間ひっそりと斬新な実験を続けてきた。

世間の喧騒から遠く離れたアリゾナ（米国）の砂漠に、未来都市の驚くべき姿がそびえ立っている。そこはアルファベットの「i」のようにまっすぐな糸杉の木が並ぶ乾燥地帯だが、原木とコンクリートでできた立方体の建造物が丸屋根に覆われた巨大なアーチ構造によくなじんでいる。まるでSF映画の舞台のようだが、実は、建築とエコロジーを融合させる「アーコロジー」の提唱者パオロ・ソレリのユートピア思想が結実した場所である。理想都市アーコサンティの建設は1970年代に始まった。基軸となったのは、効率が良く、資源をできるだけ無駄にせず、廃棄物量とエネルギー消費量を抑える社会の実現計画だ。砂漠と風が支配する土地で、5000人が自給自足できる生活空間を目指したのである。創設方針には、ヒューマンスケールの生活の尊重（歩行者のための環境整備）、拡大せずにコンパクトな町にするという選択、町中での農業環境の確立（温室や微気候を活用）、そして消費活動をうまく管理して「優雅なる質素さ」という生活スタイルを確立すること、などが含まれていた。

最終目標のうち、まだ5%しか達成されていないが、アーコサンティは今や正真正銘の実験都市として80人の住民を抱え、年間6万人近くの訪問者を受け入れている。エコロジストのための共同体であると同時に、カウンターカルチャーの拠点でもあるアーコサンティは、生命力あふれるユートピアなのだ。

アーコサンティ　アリゾナの砂漠にそびえる都市建築

理想都市を表現する構造物　気候に適した建物　自治自立の共同体施設

スカイスーツ
敷地内で最も高い位置にある賃貸用アパート

コリー・ソレリ円形劇場
サマーフェスなどが催される野外劇場

東と西の住宅
南東の正面玄関扉はガラス製で温室効果を発揮

ソレリ・オフィス・ドラフティング事務局

陶器製作所
風鈴や瓦を製作。半円形の建物が温暖な微気候をつくる

プール

温室栽培所

北と南のボールト
集会所兼作業場

コリー・ソレリ・ミュージック・センター
屋内コンサートホール。コンクリートのテラスは「スカイシアター」と呼ばれる

クラフトIII
正方形の多機能設備。生活、娯楽、労働を包括するパオロ・ソレリの考古学的コンセプトの代表例

鋳造所
青銅の鐘の製作所。吸熱板によって窯の熱を周囲の住宅の暖房に再利用する

ゲストハウス

N W E S

20 m

Source : Arcosanti project

WORKING
LIVING
COMMERCIAL
VERTICAL STRUCTURE
NSPORTATION
PUBLIC
GARDENS
PROMENADE
AUTOMATED INDUSTRIES
CIRCULATION

上：
冷涼な空気を取り入れるため建物は丘の上に。左は手工業の建物、右はゲストハウス。

右：
砂漠の真ん中で貴重な日陰をつくるアーチ形のボールト建築。近未来的なスタイルだ。

右ページ：
鋳造所で製作した青銅の鐘が、コンクリートと木を組み合わせた建物に設置されている。鐘の販売はこの町の主要な収入源だ。

右：
ランやサボテンの巨大な温室、クラウドフォレストとフラワードーム。バオバブまである！

シンガポール

汚職や犯罪はない。ストライキ権もない

シンガポール

模範的、あるいは模範に近い都市国家

植民地だった古都は、半世紀も経たないうちに世界屈指の近未来都市に変身した。

1965年、不本意ながら独立国家となったシンガポール。当時は貧しく、時代に取り残され、資源もない土地だった。それが今では都市の模範生として君臨し、世界中の都市計画家を鼓舞している。シンガポールの大変身は、リー・クアンユーの功績によるものだ。リーは30年以上首相を務め、急進的自由主義政策を進め、まれに見る経済的成功を遂げ、シンガポールを輝かしい国家に育て上げた。以来、世界屈指の建築家が設計した超現代的なビル群と巨大な緑地帯が融合する「庭園都市国家」で、550万の国民が暮らしている。緑地帯では、未来型植物園のガーデンズ・バイ・ザ・ベイや、その中にある鉄骨とコンクリートの「スーパーツリー」のように完全に人の手で管理された施設が、豊かな自然の植生と共存している。この都市国家の住民は、世界トップレベルの手厚い福利厚生と、ほぼ無料で質の高い教育を享受している。90％近い国民が公営住宅に住み、購入も容易だ。また入居者の民族比率も定められている。

その背景には、この理想都市では多くのことがらが一党すなわち同族が支配する国家権力によって強制的に行われているという事情がある。また人権侵害もしばしば起きている。破壊行為や暴動に対してはむち打ち刑が適用され、絞首刑は当然のように実施され、報道の自由はいまだに完全なる夢物語でしかない。国境なき記者団の2023年の「世界報道自由度ランキング」において、シンガポールの順位は180カ国中129位だった。美しい都には鉄の権力が君臨している。それは、都市の理想を体現するこの町に住むための代価なのだ。しかし、その価格はあまりに高くないだろうか？

上：
マリーナ湾の埋め立て地に立つガーデンズ・バイ・ザ・ベイは植物の総合施設。上空から見ると、空中遊歩廊がスーパーツリーをつないでいるのが分かる。

右：
シンガポールはエベネザー・ハワード（1850-1928）が『明日の田園都市』という著作で思い描いた庭園都市の熱帯版だ。

右ページ：
豊かに茂る植生の中に立つスーパーツリーは、本物の植物に覆われている。そのうち3分の2は太陽電池を搭載し、自家発電している。夜になるとライトアップされる。

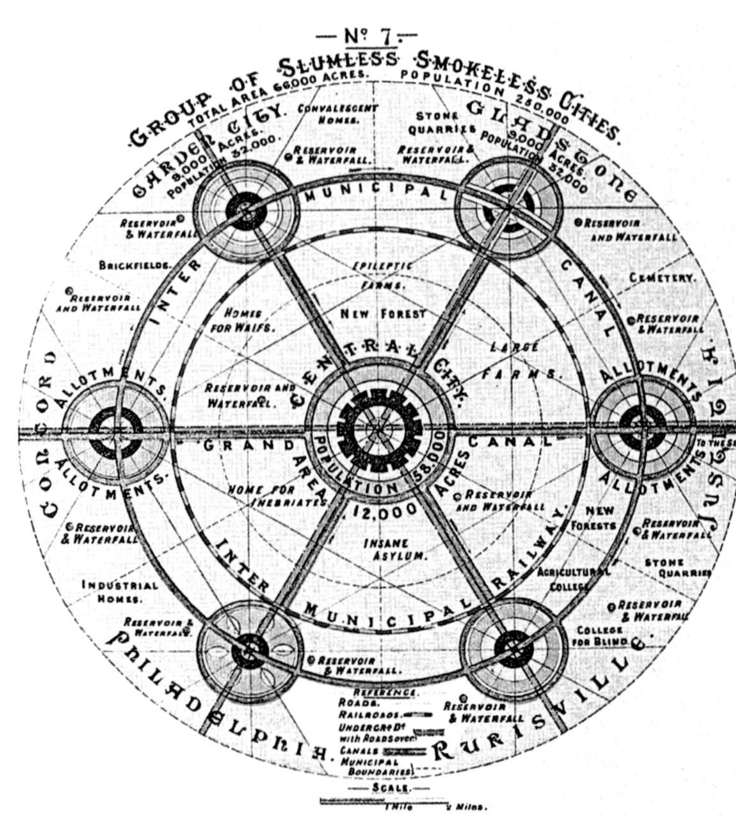

ブラジリア 計画都市の最高傑作

ブラジルの首都、ブラジリアは1960年に誕生した。
国家の権力と富の均衡を取り戻すべくゼロから築き上げられた都だ。

文化の中心であるリオデジャネイロや、経済力を誇るサンパウロから遠く離れた場所に、不毛の砂漠地帯がある。ところが、ここに、わずか1000日で建築術と都市計画の最高傑作が出現した。首都という行政機関の役を果たしながら、快適な居住空間に新住民を迎え入れるため、何もかも細部まで考え抜かれた機能主義都市。それがブラジリアだ。都市計画家のルシオ・コスタが構想したパイロットプランによると、ブラジリアは飛行機の形をしており、機首に当たる部分に象徴的に三権広場が置かれている。垂直に交わる2つの大通り――東西に走るモニュメンタル大通りと南北に走るエイショ大通りから、公園、学校、商店が並ぶ住宅街に沿って道路が伸びている。またブラジリアの威容は、オスカー・ニーマイヤーが設計した大聖堂、議事堂、裁判所、そして大統領府といった建物の美しさにも表れている。こうした傑作建築群が評価され、人工都市ブラジリアは1987年にユネスコの世界遺産に登録された。都市計画の成功例ではあるが、一方で非常に重要なあることを無視してきた。ルシオ・コスタの構想にあった衛星都市の建設

上：
モニュメンタルアクシスという大通りは町を左右対称に分断し、各省庁のある広場へと続く。

ブラジリア
（ブラジル）

当初の計画の完成を目指し、
現在も建設中

を怠ったため、ブラジリアでは中心地区だけが裕福で、周辺地域は今や人口過密となり、貧困と犯罪が大きな問題となっている。

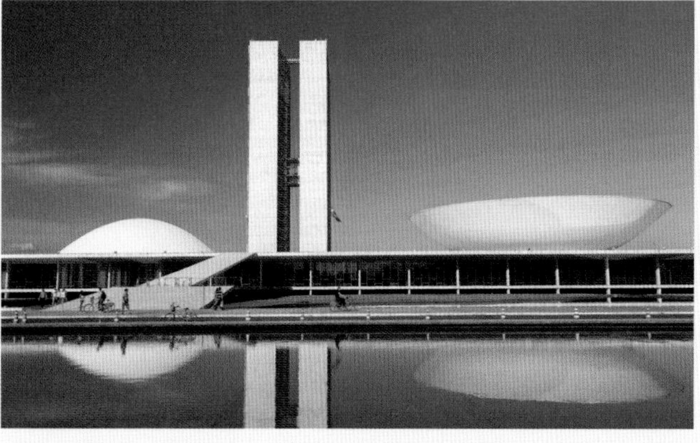

右：
オスカー・ニーマイヤーが設計したブラジルの国会議事堂。凸型ドームに上院議場、凹型ドームに下院議場がある。ツインタワーは行政サービスの拠点だ。

中央バルカン山脈
（ブルガリア）

建設資金はほとんど
党員からの寄付で
賄われた

ブズルジャ

共産主義の夢の跡

標高1500メートルの中央バルカン山脈の頂で、
コンクリートの宇宙船が
ブルガリア共産党の破れた夢を今に伝える。

1981年8月23日のあの日、当時フランス共産党書記長だったジョルジュ・マルシェやブルガリア共産党中央委員会終身書記長トドル・ジフコフら招待客が見守るなか、方尖塔のついた巨大な円盤の落成式がにぎにぎしく開催された。この土地が選ばれたのは驚くにあたらない。19世紀末にこの国で最初の社会主義組織が結成されたブズルジャ山は、ブルガリア史における重要な場所なのである。それより驚くべきは建築様式で、古代、現代、そして未来のモチーフを混在させた記念碑となっている。古代トラキアの墓とSFの空飛ぶ円盤を組み合わせたような形状で、いわば過去から未来への連続体といえよう。

しかし、この記念碑の究極の目的は、共産主義理念が実現する輝かしい未来を象徴することだった。建設中、トドル・ジフコフはそこに金属製のタイムカプセルを埋めた。カプセルの中には希望に満ちたメッセージが収められていた。「すべてのブルガリア国民にとって神聖なこの場所で、わが党の真実の炎が永遠に燃え続け、最高の喜びに満ちた未来へ向かう意志と偉大な歩みが、何世代もの人々の心の中で煌々と輝かんことを」。正面玄関の両側に記された革命歌『インターナショナル』の歌詞の一節を読めば、彼のユートピア的なビジョンが理解できる。「過去を叩きのめせ……世界は覆される」。そんな力任せの示威行動から8年、千年の未来を約束されたはずのモニュメントは打ち捨てられた。民主主義運動の高まりによって共産主義が失墜し、そのあおりを食らったのだ。後世まで理念を伝えるはずだった円盤型の建物には今、雑草が生い茂っている。

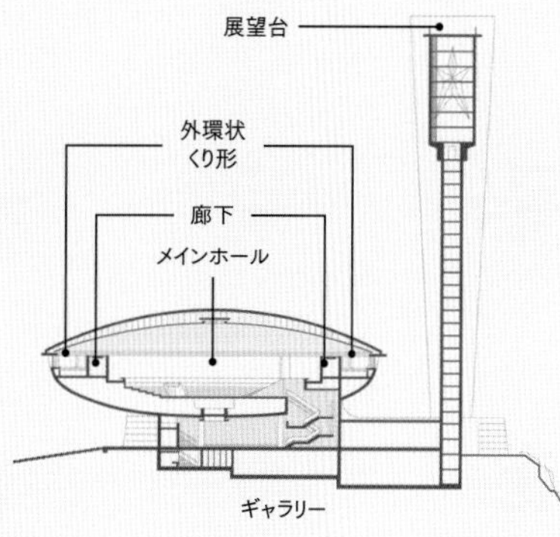

OF
WORLD

THE SCARIEST KLAN IN
MUTHAFUCKIN'

82-83ページ：
30年間放置された建物には、スプレーの落書きと共産党のプロパガンダが同居している。建築物保存のため野心的なプロジェクト（ブズルジャ・プロジェクト・ファンデーションと国際記念物遺跡会議ドイツ支部の主導による）が進行中だ。

上：
1981年に開かれた落成式の様子。

右：
社会主義的視点でブルガリアの歴史を描いたモザイク画の大作。

右ページ：
大窓がすべて破られ、一部廃墟と化したコンベンションセンター。まるで見知らぬ惑星に迷い込んだ円盤のようだ。

コンクリートユートピア

ユーゴスラビアの夢と現実

新しい技術と新しい言葉。ユーゴスラビアのチトー政権にとって、ブルータリズム建築は社会を転換させる手段だった。

旧ユーゴスラビア

文化の橋渡しとしての建築

右ページ：
コルドゥンとバニヤにおける反ファシズム蜂起の記念碑。設計したのはベリスラフ・セルベティックとボヤン・バキチで、1979年から1981年にかけてクロアチアのペトロバ・ゴラに建設された。ファシスト集団ウスタシャに対するセルビア系農民の英雄的な抵抗運動（1941～1942年）を称えている。

都市の再建や大規模な都市計画が必要な第二次世界大戦終結直後、英国の建築家アリソンとピーター・スミッソンの言葉に触発され、短期間で経済的な解決法としてブルータリズム建築が生まれた。しかし、大胆で革新的なフォルムをしたコンクリートのビルを、単に収益性を追求した建築物と過小評価するのは早計だ。集合住宅、大学、図書館、役所、あるいは美術館に至るまで、多くの人が利用する施設に革命を起こしたブルータリズム建築は、より公正で、より共同体志向の社会を実現するという夢にも一役買っていたのである。

この理想主義を極めて具体的に表しているのが旧ユーゴスラビアだ。1948年にユーゴスラビアがソビエト陣営から分離するとすぐ、チトー首相は手頃な価格の住居、学校、文化施設を国中に建設させた。ブルータリズムは安価な資材を用い、装飾を排し、どの地方でも簡単に似たようなビルを建設できたので、自主管理に基づく社会主義社会実現というチトーの夢を大きく前進させた。また、ユーゴスラビアにとって難題だった共和国間の格差の縮小にも寄与した。この統一建築モデルは、さまざまな人々を結びつける役割も果たしている。何しろ、この国には言語だけ共有する人々もいれば、宗教だけ共有する人々もいる一方で、大多数は互いに何の共通項もないまま生きていたのだから。30年にわたる内紛によって旧ユーゴスラビア領土は荒廃した。そして巨大なコンクリートの建物は今も、東と西に分裂した世界でもなお第三の道を模索した哀しきユートピア、ユーゴスラビアの名残をとどめている。

ノワジー・ル・グラン
（フランス）

新たに700戸の住宅を計画中
※ボフィルは2022年1月に他界

アブラクサス

コロセウムのような集合住宅

フランスのノワジー・ル・グランに建てられた公共住宅では、古代建築とSFの世界観が大胆に共存している。

これはギリシャ神話の巨人が発明した劇場なのか、ピンクのコンクリートとガラスでできた巨大な舞台なのか、それとも雲を突くような柱を規則正しく並べた古代の城壁なのだろうか。これらすべての要素を織り込んだ建造物、アブラクサスは、それ自体が完結した町であり、1970年代末にリカルド・ボフィルのイマジネーションから生まれた都市計画的ユートピアなのである。ボフィルの目標は、それまでなかったようなまったく新しい町——戦後増えた塔状建築や棒状建築とは無縁の非の打ちどころない居住区を創造し、さまざまな社会階層の人々が安心して共存できる場所を提供することだった。段差をつくることで動きを出した広場は外側からは見えず、施設は敷地を半分囲むようにして立つ宮殿、その奥にある半円形の劇場、中央のアーチという3つの建物で構成されている。施設内の全617戸の住居は19階に分かれて入り組んだ形に配置され、屋根付き道路、回廊、廊下、階段が使えるようになっている。ガラスとコンクリート製の堂々たる装飾は未来感覚のデザインでありながら、その建築技法と規模は古代建築をほうふつとさせる。この都市型ユートピアは、すべてが計画どおり運んだわけではないが、非常に力強い存在感を放ち、イル・ド・フランス（パリを中心とした地域）の風景に溶け込んでいる。新古典主義的ポストモダンの建築はボフィルの世界的名声の一端を担う作品であり、ローマのコロセウムと同じようにアジアからの観光客が撮影に訪れる。

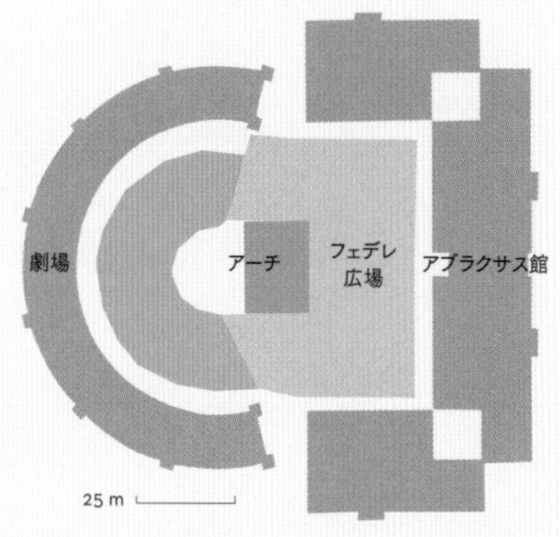

世界を
再構築する

革命という言葉の最も古典的な意味は「権力の転覆」だ。より具体的に言い換えれば、大挙して広場を占拠し、既存の秩序を象徴する建物を襲撃することだ。しかし、それまでの価値観や仕組みを転換するパラダイムシフトもまた、一種の革命であり、世界をつくり直す手段である。以前と違う考え方をしてみること。束縛から放たれること。不可能に挑戦すること。破天荒な発想をすること。人類はどうすれば戦争と縁を切れるのか。1日2時間労働の社会は成立するのか。アメリカ大陸を迂回して世界一周することは可能なのか。本章は、本書の全体像を俯瞰するような構成とした。どれも完全なユートピアに見える。それが現実になるまでは。

MARIS PACIFICI,
(quod vulgò Mar del Zur)
cum regionibus circumiacentibus, insulisque in eodem passim sparsis, novissima descriptio.
MARIS ATLANTICI, SIVE MAR DEL NORT PARS.
Bermuda
Florida
Noua Hispania.
Mexico.
California.
Mar Vermejo
Cuba
Spagnola
Iamaica
S. Ioan.
La Trinidad
IUCATAN.
Cartagena
Caribana.
Quito.
Y. de Cocos
Y. de Galopagos
Rocca partida
La anublada
Circulus Aequinoctialis.
AMERICAE MERIDIONALIOR PARS.
Peru.
Charcas.
Chili.
Patagones.
Archipelagus insularum.
Fretum Magellanicum
Tierra del Fuego.
Mar del Nort
S. Petri
DEL
ZUR.
Prima ego velivolis ambivi cursibus Orbem,
Magellane novo te duce ducta freto.
Ambivi, meritoq; vocor VICTORIA: sunt mi
Vela, alæ; precium, gloria; pugna, mare.
Cum privilegijs Imp. & Reg. Maiestatum,
nec non Cancellariæ Brabantiæ, ad decennium.

マゼランの革命
人類史上初めての世界周航

海の征服者マゼランは、存在しないかもしれない海路を通って西洋からアジアを目指そうとした。

世界全体

初の世界一周

上：
19世紀初頭のマゼランの肖像画

左ページ：
アブラハム・オルテリウス（1527-1598）による地図。ティエラ・デル・フエゴ（火の島）を通過したビクトリア号が描かれている。世界一周を無事に終えた唯一のカラク船（大型商船）だ。

1519年8月、ポルトガル人のマゼランがスペイン旗を掲げた艦隊を率いて、セビリヤの港を出発した。彼はアメリカ大陸の西側に海路を発見できるのではないかと期待していた。もし発見できれば、今後スペイン人はポルトガルの支配下にあるインド洋を通らずにスパイス諸島（現在のインドネシアのモルッカ諸島）へ向かえるようになり、ポルトガルによる香料市場の独占に終止符が打たれる。かくしてマゼランは航海図も目印もないまま、未知の世界へ漕ぎ出した。無分別ともいえる危険な企てだった。1513年にスペイン人のバルボアが探検して以来、新大陸の西側には海があるということしか分かっていなかったのだから。

マゼランは新大陸を南下し、大陸が途切れたら、そのまま海路を進み、最終的にアジアへの航路を見つけるつもりだった。最初の数回は空振りに終わったうえ、何度も反乱が起きた。そして1520年10月、マゼランの艦隊は海と山に挟まれた狭く複雑な地形の、奇妙で物騒な雰囲気の水路を通り抜けた。2カ月を費やし600キロも旅したあげく、ついに求めていた海を発見したのである。マゼランはそれを「太平洋」と名づけた。そこには、乗組員が想像だにしなかった恐ろしく長い航海が待ち受けていた。「3カ月と20日の間、新鮮な食料なしに過ごした。虫がたかり、ネズミの尿がしみ込んだ粉々の古いビスケットを食べるしかなかった」

1521年3月、一握りの生存者がフィリピンに到着したが、マゼランはそこでの戦闘中に命を落とした。同年11月、一行はスパイス諸島に到着し、ミッションは果たされた。インド洋航路でスペインに帰国したのは、艦隊のうちたった1隻きりだった。

1522年9月6日、セビリヤに到着した一行は、海路で世界一周できることを証明した。その日、数人の船乗りたちが世界地図を塗り替えたのである。

あるユークロニア

インカ人がヨーロッパに上陸していたら?

世界史においては、別の展開もあり得た重大事件がいくつかある。
ヨーロッパ人がケチュア語を話していた可能性だって大いにあるのだ。

アメリカとヨーロッパ

アタワルパとカール5世が出会うとき

ユートピアとユークロニア（史実とは異なる世界を描く歴史改変文学）は紙一重だ。どちらも、実現不可能に思えることを追い求める知的エクササイズである。ただしユークロニアの実現は、ユートピア実現よりはるかに難しい。過去を変えるには、まず過去に戻る必要があるからだ。

作家ローラン・ビネは著書『文明交錯』（橘明美訳、東京創元社、2023年）の中で、時間をさかのぼって11世紀のアイルランドにたどり着くと、グリーンランドの南東に位置する大陸の奥地まで探索してはどうかとバイキングに提案する。こうした手はずのおかげで、アメリカ先住民は鉄の使い手であったバイキング経由で鉄を、さらに当時アメリカ大陸には生息していなかった馬を手に入れた。特筆すべきは、天然痘と呼吸器系の感染症にかからせ、あらかじめ抗体をつくらせておいたことだ。スペイン人が1492年に新大陸へ上陸したとき、もはや先住民を征服し植民地化できる情勢ではなかった。現実の歴史とは異なり、馬にまたがった先住民が斧と鉄鏃（てつぞく）でスペイン人を迎えたのである。

別の世界史の扉が開いたのはこのときだ。この世界では、クリストファー・コロンブスが旅から帰還することはない。ケチュア語を話す者たちが海を渡り、その長のインカ皇帝アタワルパは、ヨーロッパの各王国が終わりの見えない戦乱で疲弊している状況に乗じて、カール5世が君臨するスペイン王国を征服する。条件法過去と接続法大過去（ともに過去の事実に反する仮定法）の世界であるとはいえ、このユークロニア小説の中ではまったく異なるグローバリゼーションが誕生している。忘れないでほしい。もし植民地の時代を歴史から抹殺すれば、アフリカと米国における奴隷の産業化、三角貿易、そして西洋の覇権もなかったことになることを。めまいがしそうな話だ。インカの君臨がのちにより良い世界をもたらしたかどうかは、また別の話である。

下：
インカ人にとって7月は土地分配、そしてトウモロコシとジャガイモの収穫の季節だった。16世紀のインカ出身の年代記作家ワマン・ポマ（スペイン語名はフェリペ・グアマン・ポマ・デ・アヤラ）による絵。

右ページ上：
アブラハム・オルテリウスによる世界地図。1570年に出版された。

右ページ下：
カハマルカ（現在のペルーの都市）の大壁画。1532年にインカ皇帝アタワルパとコンキスタドールのフランシスコ・ピサロの出会いを描いている。ピサロは皇帝を陥れ、幽閉した。

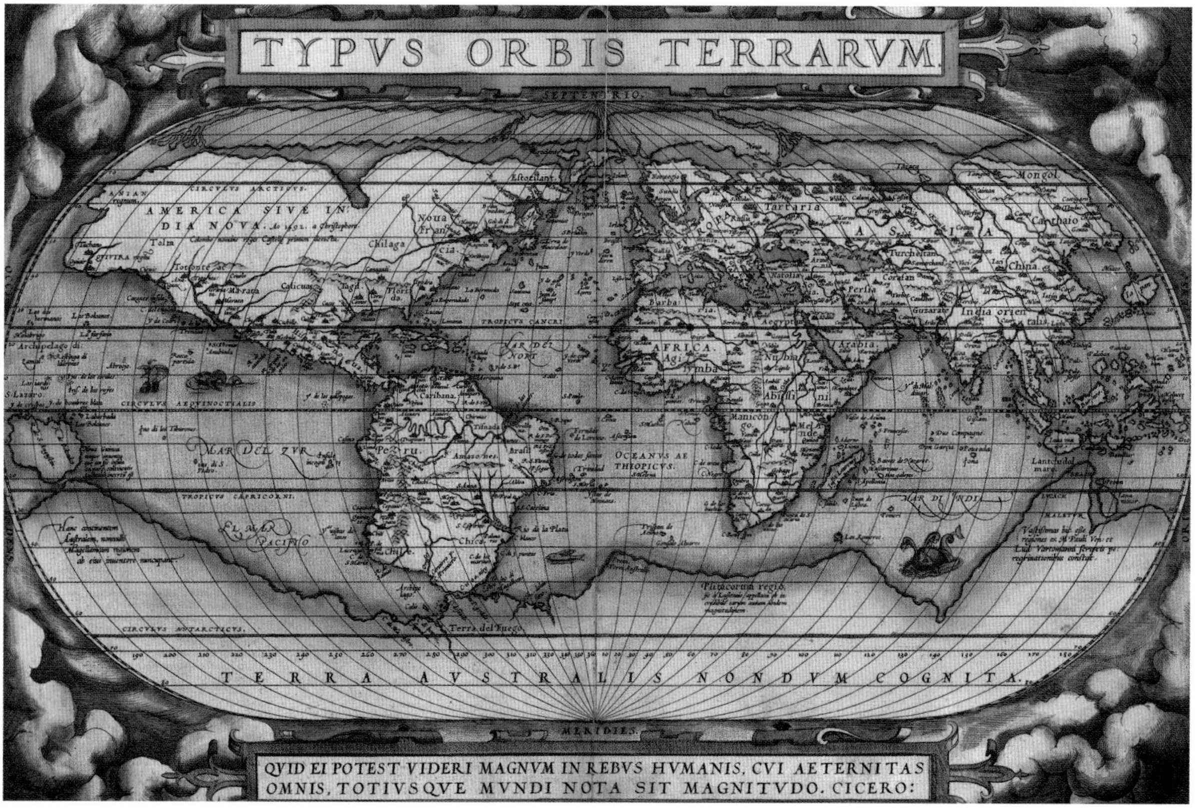
TYPVS ORBIS TERRARVM
SEPTENTRIO.
AMERICA SIVE INDIA NOVA.
MAR DEL ZVR
OCEANVS AETHIOPICVS.
MAR DI INDI
TERRA AVSTRALIS NONDVM COGNITA.
MERIDIES.
QVID EI POTEST VIDERI MAGNVM IN REBVS HVMANIS, CVI AETERNITAS OMNIS, TOTIVSQVE MVNDI NOTA SIT MAGNITVDO. CICERO:

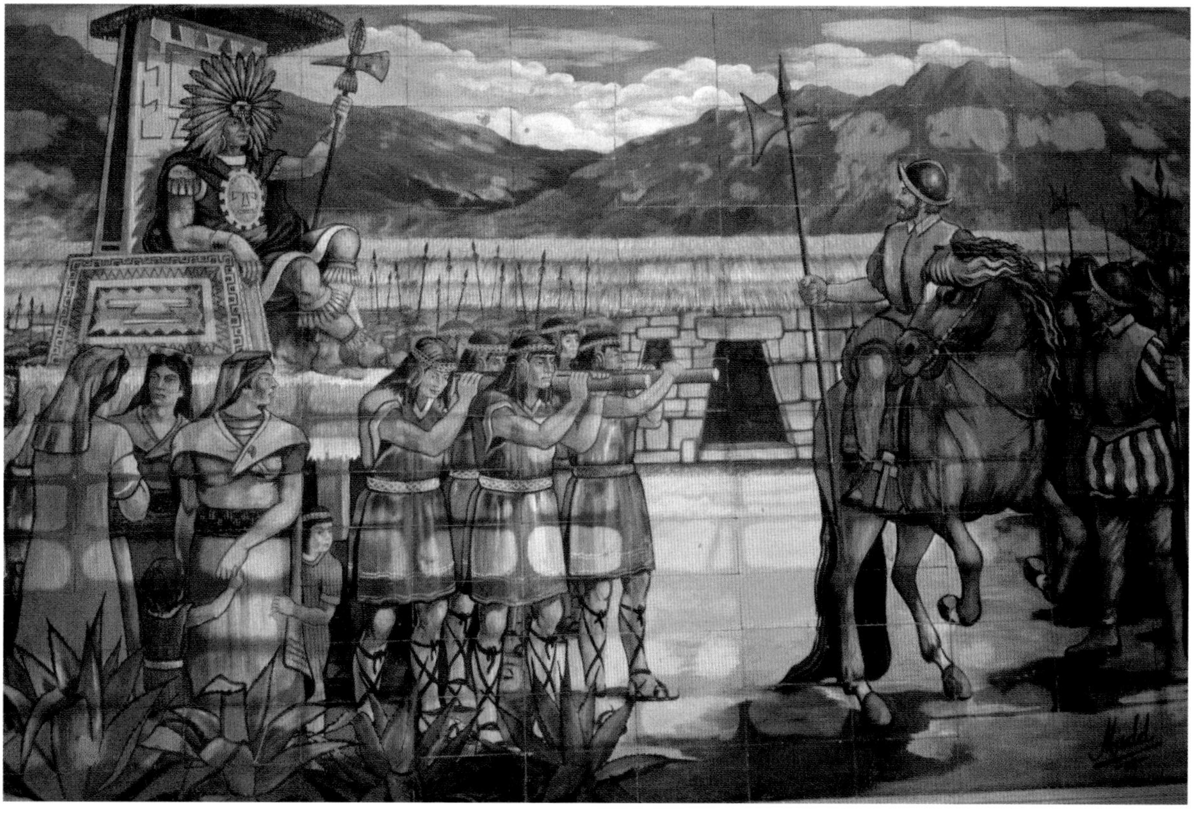

庶民の蜂起

ドイツの農民が求めたもの

教会と君主によって搾取され、悲惨な生活を強いられていた農民たちが、1524年から1526年にかけてドイツ全土で抗議の反乱を起こした。

プロテスタンティズムが生まれたきっかけの1つに、あるスキャンダルの暴露があった。ローマ・カトリック教会は、サンピエトロ大聖堂の建設資金を捻出するため、煉獄での数年間が免除され魂がすぐに救済されるという触れ込みの贖宥状（しょくゆうじょう）（免罪符）を発売した。ドイツの修道僧ルターはこれを詐欺だと告発。ルターは「天国への入り口は金では買えない。地上のいかなる権威、たとえローマ法王であっても、絶対に与えられない」と主張した。ルターが何よりも糾弾したのは教会の腐敗だ。ところが教会に抗議する風潮の高まり（ルターの主張は印刷技術の発明によって広められた）は、すぐさま農民たちを刺激した。重税と強制労働にあえぐ人々は、より広範囲にわたる要求運動を大胆に進めた。農民たちが願ったのは、いわば地上における神の国の出現だった。

反乱はドイツとオーストリアで始まった。農民集団は城や都市を占拠し、1525年には「シュワーベン農民の12カ条」が発布された。その内容はまさに政治的な声明であり、農奴制の廃止、10分の1税と雑役制度の改正、聖職者の任命および罷免権などが要求されていた。また「主が人間をつくられたとき、すべての動物、空を飛ぶ鳥、水を泳ぐ魚を支配する権利を与えられた」とする聖書

上：
16世紀の村祭りを描いた版画。後方で農民が争っているのが見える。この絵の作者、ハンス・ゼーバルト・ベーハムも反体制思想の持ち主として追放の刑に処されている。

南ドイツ、スイス、ドイツ・ロレーヌ地方

30万人の農民が蜂起し10万人が殺された

の言葉を根拠として、森林と河川の収益権も主張した。

この農民戦争はドイツ語で「庶民の蜂起」とも呼ばれるようになる。フリードリヒ・エンゲルスはそうした要求事項の中に、初期の共産主義にも似た革命の萌芽を認めている。ルター自身は社会秩序を転覆させようとは思ってもいなかったため、蜂起を非難した。反乱者たちを容赦なく弾圧しようとする君主たちに同調し、「喉をかき切り、撃ち殺し、首を絞めろ」とまで言ったという。

チューリンゲンの牧師トマス・ミュンツァー率いる農民軍は1525年5月15日に鎮圧された。首謀者たちは拷問にかけられ処刑された。10万人の農民が殺され、手足を切断された者も多かった。

マダガスカル

政治・社会・哲学的な絶対自由主義を掲げるユートピア

リバタリア

海賊が目指した平等の国

17世紀末、
数人の海賊たちが建国したリバタリアは、
絶対君主制時代における
理想の民主国家だった。

もし海の無法者たちが地上の別世界のつくり手として最適任者だったとしたら? 1720年頃ロンドンで出版された『海賊列伝:歴史を駆け抜けた海の冒険者たち』(朝比奈一郎訳、中公文庫、2012年)を読めば、納得するかもしれない。おそらくはダニエル・デフォーの偽名だと思われるチャールズ・ジョンソンという作家は、この本の中で、海賊稼業に手を染めることになった2人の理想主義者——ミッソン船長と修道僧カラチオーリの冒険を生き生きと描いている。彼らは乗組員とともに、インド航路から数キロ離れたマダガスカルの湾内に活動の本拠を置いた。しかし、あからさまな略奪行為よりもずっと野心的な計画を持っていた。それが平等主義を原理とするリバタリア共和国の建国だった。3年の任期という条件で指導者に選出されたミッソンは、住民全員の利益のために尽くす立場となったが、できなければ罷免が待っていた。私有財産は廃止され、資源は共有された。年金、失業保険、労災は共同体が保障し、階級、性別、人種の違いは抹消された。ミッソンは不平等を解消するために、エスペラントのような言語を時代に先駆けて発明する。畑を耕して暮らす者もいたが、残りの住民は海賊行為を続けた。乗っ取った船の奴隷は解放され、乗組員は家族同然に迎えられ、指揮官の運命はその人物評価によって決められた。

リバタリアははたして実在したのだろうか。存在を証明するものは残っていない。しかも『ロビンソン・クルーソー』の作者ダニエル・デフォーは事実かフィクションか見分けがつかないように語る名手だ。実在していようが空想であろうが、リバタリア共和国の冒険は、夢の社会変革の先駆けだった。そしてこの夢は一部の人々にとって数世紀後に実現することになる。

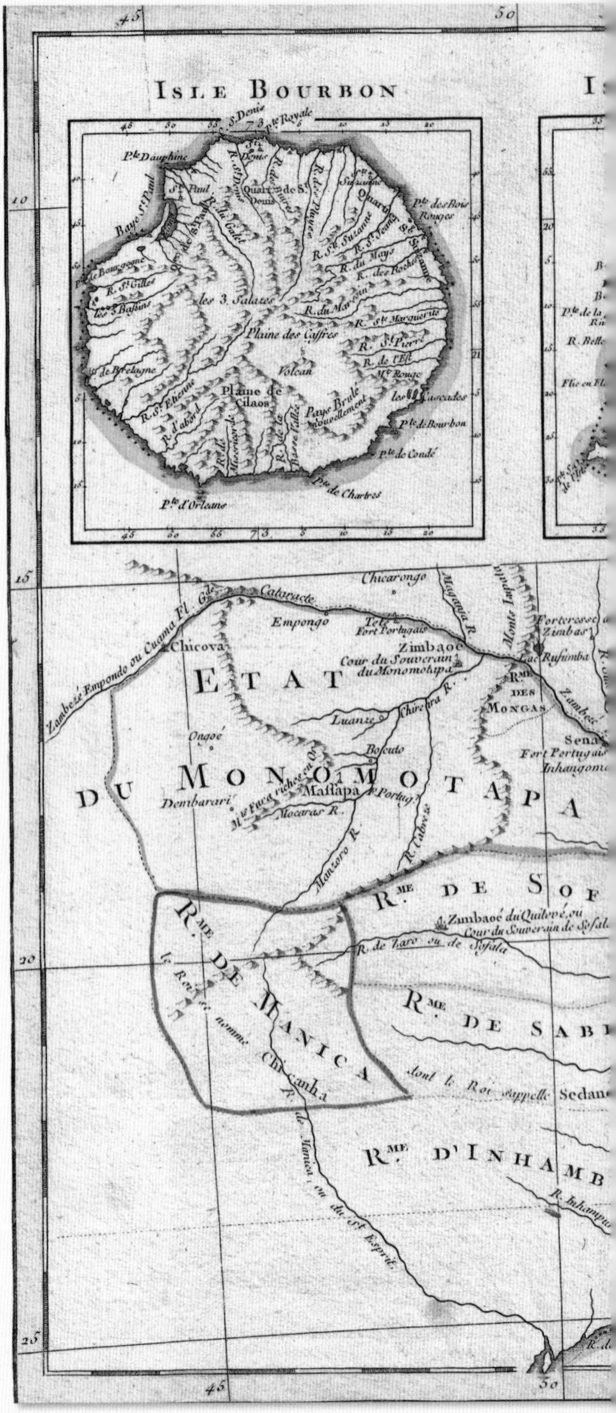

上:
18世紀にリゴベール・ボンヌが作製した地図。リバタリアがあったとされる場所はマダガスカルの北端である。当時西アフリカやアンティル諸島にも海賊共和国があった。

PARTIE
DE LA COTE ORIENTALE D'AFRIQUE
avec l'Isle de Madagascar et les Cartes particulières
des Isles de France et de Bourbon.
Projetté et assujetie
aux observations Astronomiques
Par Mr. Bonne
マダガスカル島の
海賊の隠れ家
CANAL DE MOSAMBIQUE
ISLES DE COMORE
Rme. DE MONGALLO
FRANCE
GOLFE DE SOFALA
Tropique du Capricorne
ECHELLE
Lieues Marines de 20 au Degré
Milles de 60 au Degré
Heures de Chemin de 30 au D. et 20 pour une Journée

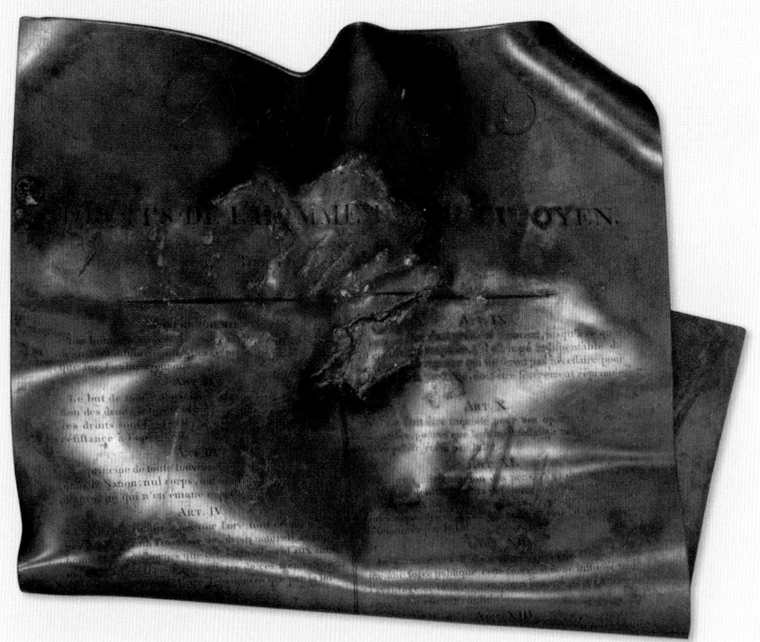

1793年憲法

蜂起の権利と義務をうたう

施行不可能といわれ、やはり未施行に終わった伝説の憲法条文。直接選挙制と社会権が優先事項とされたのはこれが初めてだった。

パリ
（フランス）

第35条は
人民に蜂起する権利を
認めている

上：
青銅製の板に刻印された「人間と市民の権利の宣言」は1793年5月5日に破棄された。新しい憲法と宣言の発表によって廃されることになったからだ。

右ページ：
1793年の「人間と市民の権利の宣言」。特に圧政に抵抗する権利が擁護され、少なくとも4つの条文で述べられている。

大仰な文章ではあるが、スケールの大きさには目を見張るものがあった。フランス革命期の政治結社、ジャコバン派は1793年6月24日、人民主導の政治に重点を置いた憲法を布告した。直接選挙制の手本のような条文は、直接選挙で選ばれた議員で構成される任期1年制議会と、国民投票による意思表示により、市民自らが政治を行うことを提案している。実際、すべての法律は人民の承認がなければ成立しない。24人の大臣を議会で選ぶことにより、行政権も主権の下に置かれる。極めつきは、政府が人民の権利を侵害した場合、人民には蜂起の権利と義務が与えられることだ。

また同憲法は、1789年の「人間と市民の権利の宣言」を補完する目的も持っていた。このように主要な経済的・社会的権利を史上初めて確立した1793年憲法は、「社会は困窮する市民に対し扶養する義務を持つ」（第21条）、「社会はすべての市民に教育の機会を与える義務を持つ」（第22条）と宣言している。

「人間理性によって打ち立てられたこの記念碑的憲法を、ヨーロッパ全土は称賛せずにはいられないであろう」と語ったロベスピエールの熱意にもかかわらず、恐怖政治のさなかであったため、この憲法は実施されなかった。人民のための、人間中心主義の進歩的な力強さをみなぎらせたこの条文の神話的なオーラは今も消えていない。

DECLARATION DES DROITS DE L'HOMME ET DU CITOYEN.

Le Peuple français convaincu que l'oubli et le mépris des droits naturels de l'home sont les seules causes des malheurs du monde, a résolu d'exposer dans une déclaration solemnelle ces droits sacrés et inaliénables, afin que tous les citoyens, pouvant comparer sans cesse les actes du gouvernement avec le but de toute institution sociale, ne se laissent jamais opprimer et avilir par la tyrannie; afin que le peuple ait toujours devant les yeux les bases de sa liberté, de son bonheur, le magistrat la règle de ses devoirs, le législateur l'objet de sa mission.

En conséquence il proclame, en présence de l'Etre suprême la déclaration suivante des droits de l'homme et du citoyen

ART. 1.er Le but de la société est le bonheur commun. Le gouvernement est institué pour garantir à l'homme la jouissance de ses droits naturels et imprescriptibles.

II. Ces droits sont l'égalité, la liberté, la sûreté, la propriété.

III Tous les hommes sont égaux par la nature et devant la loi.

IV. La loi est l'expression libre et solemnelle de la volonté générale; elle est la même pour tous, soit qu'elle protége, soit qu'elle punisse; elle ne peut ordonner que ce qui est juste et utile à la société; elle ne peut deffendre que ce qui lui est nuisible.

V. Tous les citoyens sont également admissibles aux emplois publics. Les peuples libres ne connoissent d'autres motifs de préférence dans leurs élections que les vertus et les talens.

VI. La liberté est le pouvoir qui appartient à l'homme de faire tout ce qui ne nuit pas aux droits d'autrui: elle à pour principe, la nature; pour règle la justice; pour sauve-garde, la loi; sa limite morale est dans cette maxime, *ne fais à un autre ce que tu ne veux pas qu'il te soit fait.*

VII. Le droit de manifester sa pensée et ses opinions, soit par la voie de la presse, soit de toute autre manière le droit de s'assembler paisiblement le libre exercices des cultes ne peuvent être interdits.

La nécessité d'énoncer ces droits suppose ou la présence, ou le souvenir récent du despotisme.

VIII La sûreté consiste dans la protection accordée par la société à chacun de ses membres, pour la conservation de sa personne, de ses droits et de ses propriétés.

IX. La loi doit protéger la liberté publique et individuelle contre l'oppression de ceux qui gouvernent.

X Nul ne doit être accusé, arrété, ni détenu, que dans les cas déterminés par la loi et selon les formes qu'elle à prescrites; tout citoyen appellé ou saisi par l'autorité de la loi doit obéir a l'instant; il se rend coupable par la résistance.

XI. Toute acte exercé contre un homme hors des cas et sans les formes que la loi détermine, est arbitraire et tyrannique; celui contre lequel on voudroit l'exécuter par la violence à le droit de le repousser par la force.

XII. Ceux qui solliciteroient, expédieroient, signeroient, exécuteroient ou feroient exécuter des actes arbitraires, sont coupables et doivent être punis.

XIII. Tout homme étant présumé innocent jusqu'à ce qu'il ait été déclaré coupable; s'il est jugé indispensable de l'arrêter, toute rigueur qui ne seroit pas nécessaire pour s'assurer de sa personne, doit être sévèrement réprimée par la loi.

XIV. Nul ne doit être jugé ni puni, qu'après avoir été entendu ou légalement appelé, et qu'en vertu d'une loi promulguée antérieurement au délit. La loi qui puniroit des délits commis avant qu'elle existat, seroit une tyrannie; l'effet retroactif donné à la loi seroit un crime.

XV. La loi ne doit decerner que des peines strictement et évidemment nécessaires; les peines doivent être proportionnées au délit et utiles à la société.

XVI Le droit de propriété est celui qui appartient à tout citoyen de jouir et de disposer à son gré de ses biens, de ses revenus, du fruit de son travail et de son industrie.

XVII. Nul genre de travail, de culture, de commerce, ne peut être interdit à l'industrie des citoyens.

XVIII. Tout homme peut engager ses services, son tems; mais il ne peut se vendre ni être vendu. Sa personne n'est pas une propriété aliénable. La loi ne reconnoit point de domesticité; il ne peut exister qu'un engagement de soins et de reconnoissance entre l'homme qui travaille et celui qui l'emploie.

XIX. Nul ne peut être privé de la moindre portion de sa propriété, sans son consentement, si ce n'est lorsque la nécessité publique légalement constatée l'exige, et sous la condition d'une juste et préalable indemnité.

XX. Nulle contribution ne peut être établie que pour l'utilité générale. Tous les citoyens ont droit de concourir à l'établissement des contributions, d'en surveiller l'emploi, et de s'en faire rendre compte.

XXI. Les secours publics sont une dette sacrée. La société doit la subsistance aux citoyens malheureux, soit en leur procurant du travail, soit en assurant les moyens d'exister à ceux qui sont hors d'état de travailler.

XXII. L'instruction est le besoin de tous. La société doit favoriser de tout son pouvoir les progrès de la raison publique et mettre l'instruction à la portée de tous les citoyens.

XXIII. La garantie sociale consiste dans l'action de tous, pour assurer à chacun la jouissance et la conservation de ses droits; cette garantie repose sur la souveraineté nationale.

XXIV. Elle ne peut éxister, si les limites des fonctions publiques ne sont pas clairement determinées par la loi, et si la responsabilité de tous les fonctionnaires n'est pas assurée.

XXV. La souveraineté réside dans le peuple. Elle est une et indivisible imprescriptible et inaliénable.

XXVI. Aucune portion du peuple ne peut exercer la puissance du peuple entier; mais chaque section du souverain assemblée doit jouir du droit d'exprimer sa volonté avec une entière liberté.

XXVII. Que tout individu qui usurperoit la souveraineté soit à l'instant mis à mort par les hommes libres.

XXVIII. Un peuple à toujours le droit, de revoir, de reformer et de changer sa constitution. Une génération ne peut assujétir à ses lois les générations futures.

XXIX. Chaque citoyen à un droit égale de concourir à la formation de la loi, et à la nomination de ses mandataires ou de ses agens.

XXX. Les fonctions publiques sont essentiellement temporaires; elles ne peuvent être considérées comme des distinctions ni comme des récompenses, mais comme des devoirs.

XXXI. Les délits des mandataires du peuple et de ses agens ne doivent jamais être impunis. Nul n'a le droit de se prétendre plus inviolable que les autres citoyens.

XXXII. Le droit de présenter des pétitions aux dépositaires de l'autorité publique, ne peut, en aucun cas, être interdit, suspendu ni limité.

XXXIII. La résistance à l'oppression est la conséquence des autres droits de l'homme.

XXXIV Il y a oppression contre le corps social, lorsqu'un seul de ses membres est opprimé. Il y a oppression contre chaque membre, lorsque le corps social est opprimé.

XXXV Quand le gouvernement viole les droits du peuple, l'insurrection est pour le peuple, et pour chaque portion du peuple, le plus sacré des droits et le plus indispensable des devoirs.

Signé COLLOT-D'HERBOIS *Président DURAND MAILLANE, DUCOS, MEAULLE, CH. DELACROIX, GOSSUIN, P.A. LALOY, Secretaires.*

タハリール広場（エジプト）、天安門広場（中国）など

広場は闘争の団結を示す場である

世界の広場

抗議活動と権力誇示がせめぎ合う場所

新しい社会を打ち立てようとする者にとって、町の中心地は特別な場所だ。

世界を変えようとしている者たちには広場を与えよ！ フランスの人々は不満や希望を表明するとき、バスティーユ広場からレピュブリック広場にかけてデモ行進をする。この国では1968年5月、たった数週間のデモが社会を根底から変容させた（五月革命）。ウクライナのキーウでは、2004年にオレンジ革命支持者たちが独立広場を包囲し、最終的にビクトル・ヤヌコービチ政権を打倒した。最近の例では、エジプト、カイロのタハリール広場やシリア、ダマスカスのマルジェ広場などに代表されるように、アラブの春においても広場と革命の法則は破られなかった。しかし広場は、ユートピアの舞台であると同時に、勝ち目なき闘争や幻滅の舞台でもある。1968年8月、プラハのバーツラフ広場にいた市民は、自分たちの夢を破壊しに来たソ連の戦車を前にして、なすすべを持たなかった。その数カ月後、「プラハの春」が標榜する希望を信じていた学生ヤン・パラフは、この象徴的な広場で焼身自殺した。1989年には、天安門広場事件で命を失った中国人の若者たちもまた、パラフに続いて理想主義者の殿堂に加わることになる。矛盾しているようだが、革命の発生地である広場は権力の普遍性を誇示するのに格好の場所でもある。モスクワの赤の広場や、北朝鮮、平壌の金日成広場では、政権の栄光を称える大規模な行事が催される。しかし、広場があるゆる可能性を秘めた場所であることを、専制君主は決して忘れない。そのため、地図から広場という公共空間やその主な目印を削除するケースすらある。2011年、バーレーンの首都マナーマで抗議運動が起こったあと、真珠広場の中央に建っていたモニュメントは政権によって取り壊された。民主化というユートピア的な夢を象徴するオブジェは、政権にとってあまりに目障りな存在だったからだ。

左：
2011年7月29日、カイロのタハリール広場を埋め尽くす市民。

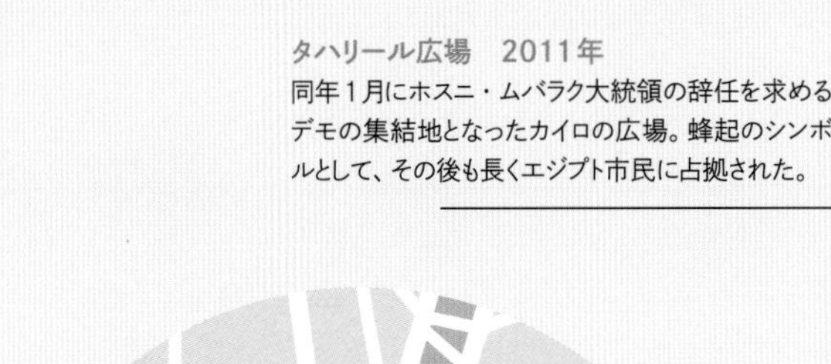

タハリール広場　2011年

同年1月にホスニ・ムバラク大統領の辞任を求めるデモの集結地となったカイロの広場。蜂起のシンボルとして、その後も長くエジプト市民に占拠された。

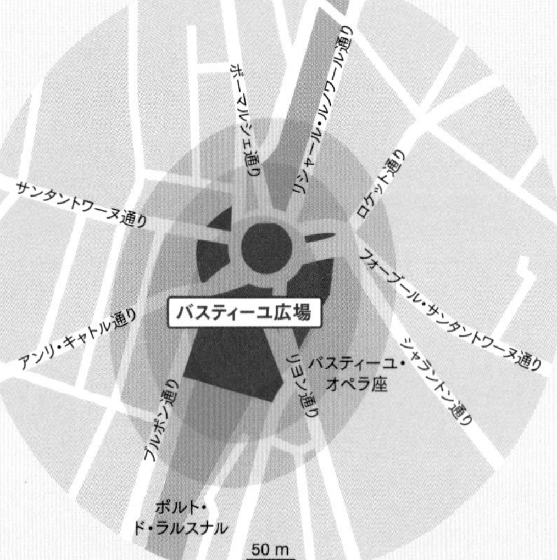

バスティーユ広場　1789年

バスティーユ牢獄はフランス革命以来、民衆による権力奪取の象徴となり、現代のデモ行進も必ずここを通る。1981年と2012年、社会党が大統領選と議会選挙の勝利を祝った場所でもある。

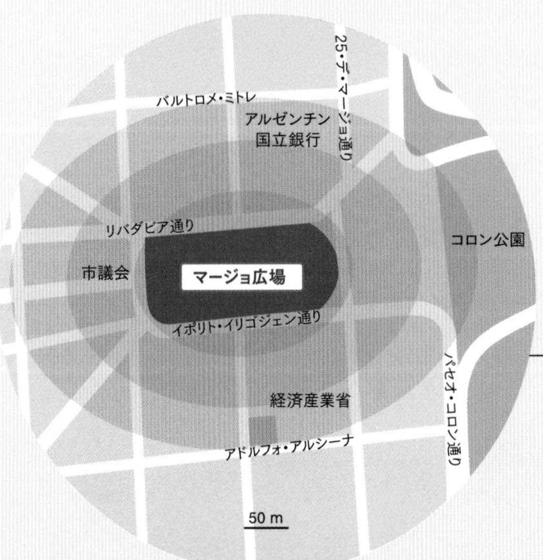

マージョ広場　1810年

ブエノスアイレスのマージョ広場は、アルゼンチン独立闘争の起点であり、五月革命の舞台だった。1977年以降は、「五月広場の祖母たち」が軍事政権に拉致された子どもたちの遺体引き渡しを要求している。

ハバナ（キューバ）
革命広場

マージョ広場
ブエノスアイレス
（アルゼンチン）

真珠広場　2011年

多くのシーア派教徒が2月、バーレーンのマナーマにある真珠広場で政治改革を訴えた。

キング・ファイサル高速道
真珠広場
マナーマ
中央市場
マリーナモール
キング・ファイサル高速道
50 m

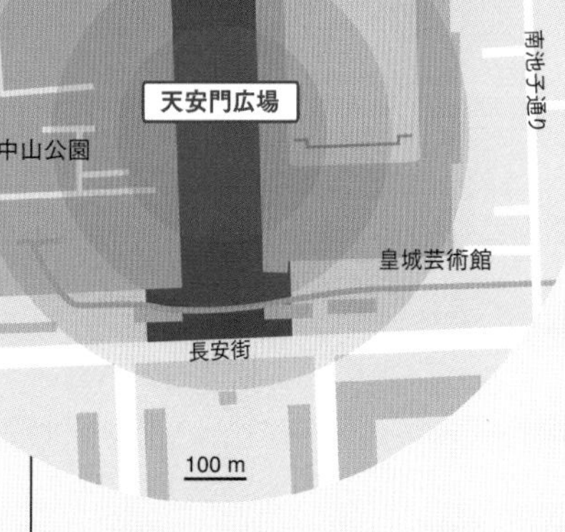

天安門広場　1989年

15世紀に造られた天安門広場は、北京の紫禁城の南側入り口に位置する。春のデモ勃発時に撮影されたビデオカメラに、1人の男性が装甲車の隊列を遮る姿が映っている。この名高い映像は中国の暴力的圧政の証言者だ。

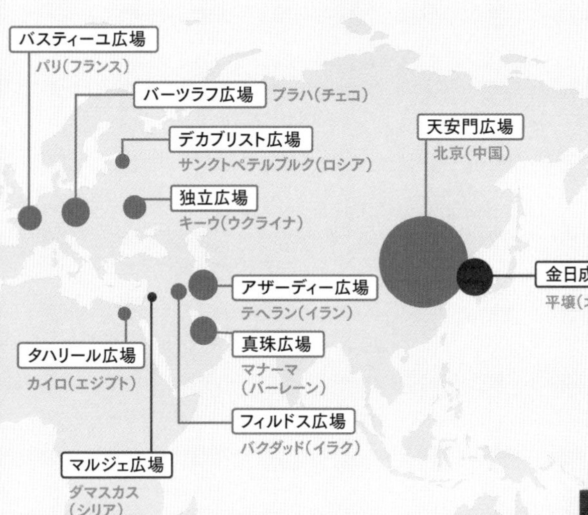

広場は民主化の高まりの象徴か?

民衆と政権の対立が起きた場所と広場の面積

単位は平方メートル

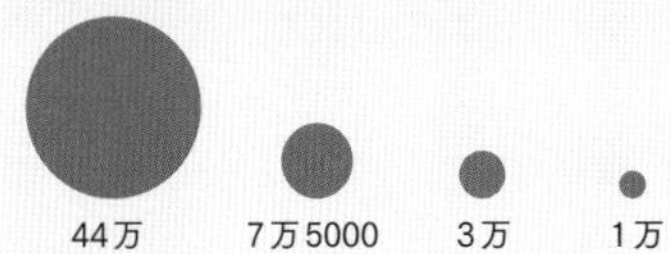

● 同様の運命をたどった広場?

指揮官同士の一騎打ち

戦争はしたい人間がすればいい

軍隊まるごと殺りくの場へ送るのはもうやめよう。
そんな提案は、あまりにユートピア的だろうか?

世界全体

歴史でも文学でもめったにない話

上:
王命によりジャック・ルイ・ダビッド(1748-1825)が製作したホラティウス兄弟の誓いの場面。人物は等身大で描かれている。

右ページ:
第一次世界大戦中、シュマン・デ・ダムの塹壕内で持ち場につく兵士たち。悲惨な戦闘の合間に束の間の休息を取る。

ティトゥス・リウィウスが『ローマ建国史』で語ったところによれば、紀元前7世紀、ローマとラティウム地方の小都市アルバロンガの間で、血みどろの戦いが起きたとき、これ以上戦死者を出さないため、両国は選りすぐりの勇者を抜擢した。勇者の語源は「大義名分のために一騎打ちで戦う者」だ。ローマはホラティウス3兄弟を、アルバロンガはクリアティウス3兄弟を指名。この戦争の縮小版で、ホラティウス3兄弟の2人は殺されたが、残った1人が逃走するかのように見せかけて、敵の3兄弟を1人ずつ殺した。勝利したローマ側はアルバロンガを支配下におさめたが、戦闘の犠牲者はほんの数名だった。古代や神話にはこうしたケースが多かった。『旧約聖書』に描かれるイスラエルの命運は、若き羊飼いダビデとペリシテ人ゴリアテのまさかの一騎打ちで決まっている。『アエネーアース』において、トロイアがラティウムに勝利したのは、英雄アエネーアースが敵方のトゥルヌスを決闘で負かしたからだ。

若い召集兵や一般市民を最後の最後まで巻き込まず、最高責任者自らの決闘によって紛争の勝敗を決定する世界など、夢のまた夢だろうか。1917年春、第一次世界大戦の激戦地だったシュマン・デ・ダムでは、フランスのニベル中将とドイツのエーリヒ・ルーデンドルフ大将に決闘してもらえばよかったのではないか? それなら戦争大好きな指揮官1人が死ぬだけで、多くの若い命が救われただろう。素晴らしい戦略ではないか。しかし現実の世界では、30万人近くの若い兵士が戦場に送られ、無意味な殺し合いの犠牲となっている。

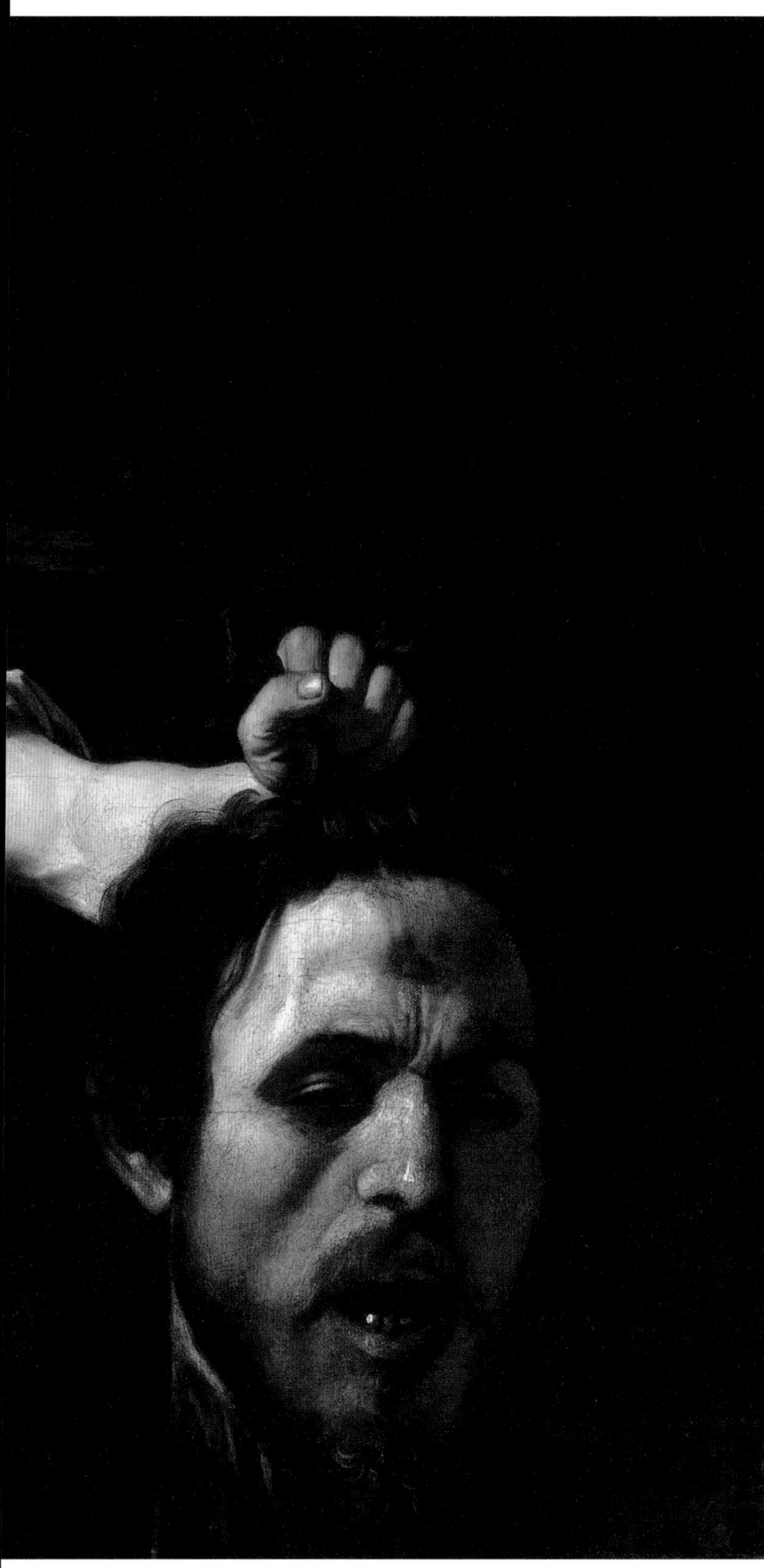

左：
カラバッジョ作『ゴリアテの頭をつかむダビデ』。17世紀初頭、イタリア人画家カラバッジョはユダヤ民族とペリシテ民族の英雄の絵を何枚も描いている。

NI DIEU NI MAÎTRE!

五月革命
（68年5月）
できないことを要求せよ

夢を追いかけた春。
若者と最下層労働者は集結して、
自由と平等と公正な賃金を要求した。

フランス

「禁止を禁ずる」

上：
レピュブリック広場のマリアンヌの銅像によじ登る人々。

左ページ上：
1968年5月13日、サンマルタン通りに向かうデモ隊。ミシェル・バロン撮影。

左ページ下：
車は焼かれ、商店は休業し、ショーウインドーは叩き割られた。パリは荒廃した。

1960年代末、フランスは急激な経済成長を遂げていたが、硬直した保守的な社会は若者たちにとって窮屈でしかなかった。1968年3月22日、第三世界の人々との連帯を掲げる学生の一団がパリ大学ナンテール校を占拠。フランスを炎の渦に巻き込む口火がこのとき切られた。数週間後、各大学や工場でも組織的な抗議運動が始まる。ピケが張られ、バリケードが並び、敷石がはがされた。1968年5月13日、初めて学生と労働者が同じ横断幕を掲げて一緒にデモ行進し、シャルル・ド・ゴールの退陣を要求した。パリでは何十万人、地方の大都市でも100万人以上がデモに参加した。デモ隊は権威や社会的束縛は何であれ非難し、自主管理と参加による新しい社会を夢見て、すべての人に開かれた教育制度を構想していた。個人が「人生を再発見」できる制約のない世界で、今とは違う生き方を模索したのである。

この動きは世界中に伝播した。日本でもメキシコでも、若者たちはユートピアを切望していた。「今すぐ、すべてをくれ」「休むことなく生きる。束縛なく楽しむ」「禁止を禁ずる」といった無政府主義的なスローガンが壁を彩った。政府は「グルネル協定」を締結して労働組合を巧みに抑える。その勢いに乗ったド・ゴール大統領は「いかなる時もいかなる場所においても反乱を阻止する」ことを断固として宣言した。そして50万人のド・ゴール支持者がシャンゼリゼ通りをデモ行進した。

お遊びの時間は終わったが、1968年5月の精神は今でもフランスに息づいている。

バンセンヌの森

夢見る力を大学に

1968年5月の反体制運動を機に、
型破りな大学がバンセンヌの森の中に出現した。

パリ
(フランス)

大学跡地は
木々で覆われている

上：
1975年の中庭。この場所に「スーク」という蚤の市が立つこともあった。

右ページ：
1979年、バンセンヌが国民教育省から批判を受けたとき、大学のシルクスクリーン工房で作成されたポスター。

美しき5月のパリ（1968年の五月革命を指す）の直後、エドガー・フォール国民教育大臣は大学実験センターをバンセンヌの森の中に建設すると発表した。フォールは慎重にもパリ中心部にいる左翼扇動者から大学施設を遠ざけつつ、フランスの知的精鋭部隊に革命的な教育空間を提供し、古色蒼然たるソルボンヌから遠いこの地に次世代の研究者や教育家を集めたのである。バンセンヌ城によってパリから隔てられた場所で理想の教育を実践するべく、伝統にとらわれない大学教員たちが駆けつけた。彼らの第一の夢は、学問をすべての人に開かれたものにすることだ。授業に参加するためバカロレア（大学入試資格）を取得する必要はない。つまり学校教育制度から落ちこぼれた人間にも新たな学びのチャンスがあった。学生や労働者の子どものための託児所や小学校も建てられた。

教員たちの第二の夢は、あらゆる知を網羅することだった。バンセンヌでは、ジル・ドゥルーズ、エレーヌ・シクスー、ミシェル・フーコーらが精神分析、映画、音楽学、性科学などを教え、現代の世界に開かれた大学を構築した。理想化肌の教員は新しい手法で思想を広めようとした。たとえば、講義を廃止し、学生の発言を評価し、哲学、情報工学、中国語、芸術表現や芸術理論、演劇など、ジャンルを横断した「アラカルト式」で大学課程を学べるようにした。

とはいえ、相変わらず争議は絶えなかったし、警察との衝突や麻薬摘発事件も発生した。体制側から見れば、大きな脅威を感じさせる組織だ。そして1980年、政権は大学をサンドニ地区に移転させた。パワーショベルが大学の建物を根こそぎ解体し、かつて文化を分かちあった場所は空き地となり、森が再びこの地の主となった。

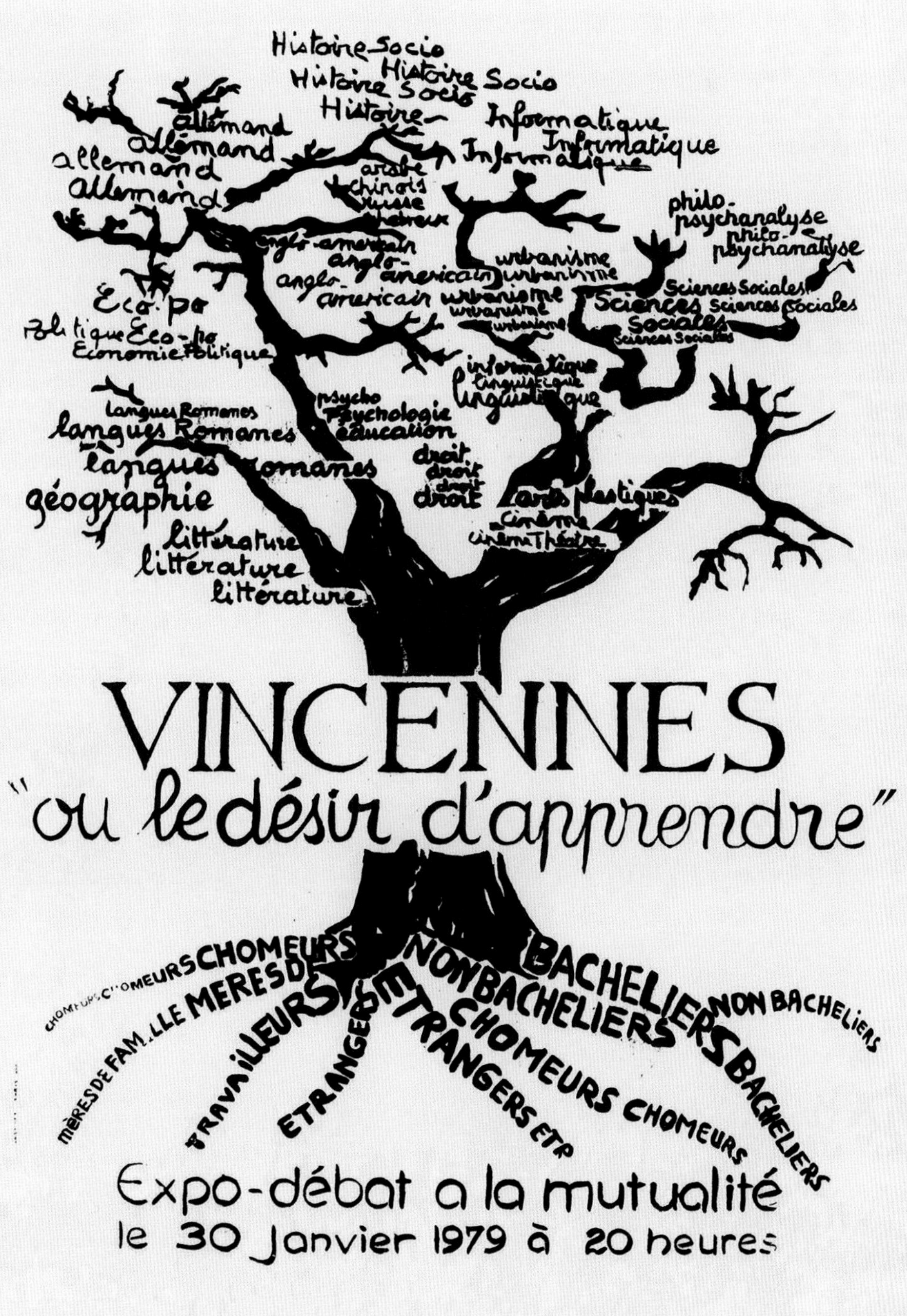

VINCENNES
"ou le désir d'apprendre"
Expo-débat a la mutualité
le 30 Janvier 1979 à 20 heures

新しいライフスタイル

1日2時間労働で豊かに生きる

あったら嬉しいユートピア。今、現実に実験が始まろうとしている。

世界全体

フランスにおける労働時間の推移：
1950年は9時間、
1970年は8時間36分、
2000年は7時間

上：
より少なく働き、より多くを得る。モンルイユ市庁舎の壁を飾る『調和の時代』。ポール・シニャックの1893年の作品。

左ページ：
ロレーヌ地方にあるロンウィ製鉄会社のためにルイ・マジョレルが製作したステンドグラス。製鉄所で働く男たちの重労働を表現している。

1977年、大学教員、実業家、そして労働界からの男女混合集団である「アドレ」が根源的な問いを投げかけた。「私たちは生計を立てるために、人生を無駄にしているのではないだろうか?」。その著書『Travailler deux heures par jour（1日2時間労働）』の中で「アドレ」は、労働時間をこれ以上は切り詰められない2時間まで減らしながら、生活の質を向上させることは可能だということを論証してみせた。そんな新しいライフスタイルには、増えた余暇を自分の才能を開花させる時間に使えるというメリットが、もれなくついてくる。大胆な提案ではあるが、決して無駄な試みではなかった。最近では、「ビジ」という集団が労働時間短縮の考えを推し進め、『1日1時間労働』という文書を発表している。

このように理論家による仮説が展開する一方、すでに実行に移している人々もいる。スウェーデンでは、賃金据え置きの労働時間短縮がもはや夢ではない。イェーテボリで試験的に行われた1日6時間労働体制では、多くのメリットが実証されている。実際に生産性は向上し、欠勤は減少した。給与労働者の生活条件が向上したのだから、当然の帰結である。しかし同時に、労働時間の減少にともない雇用数の増加が必要となった。自治体が負担する費用を考えると、完璧とはいえない実験結果ではあるが、合理的な選択に基づいた新たな社会、労働者の休息と幸福がようやく重視される社会への道を切り開いてくれたことは確かだ。

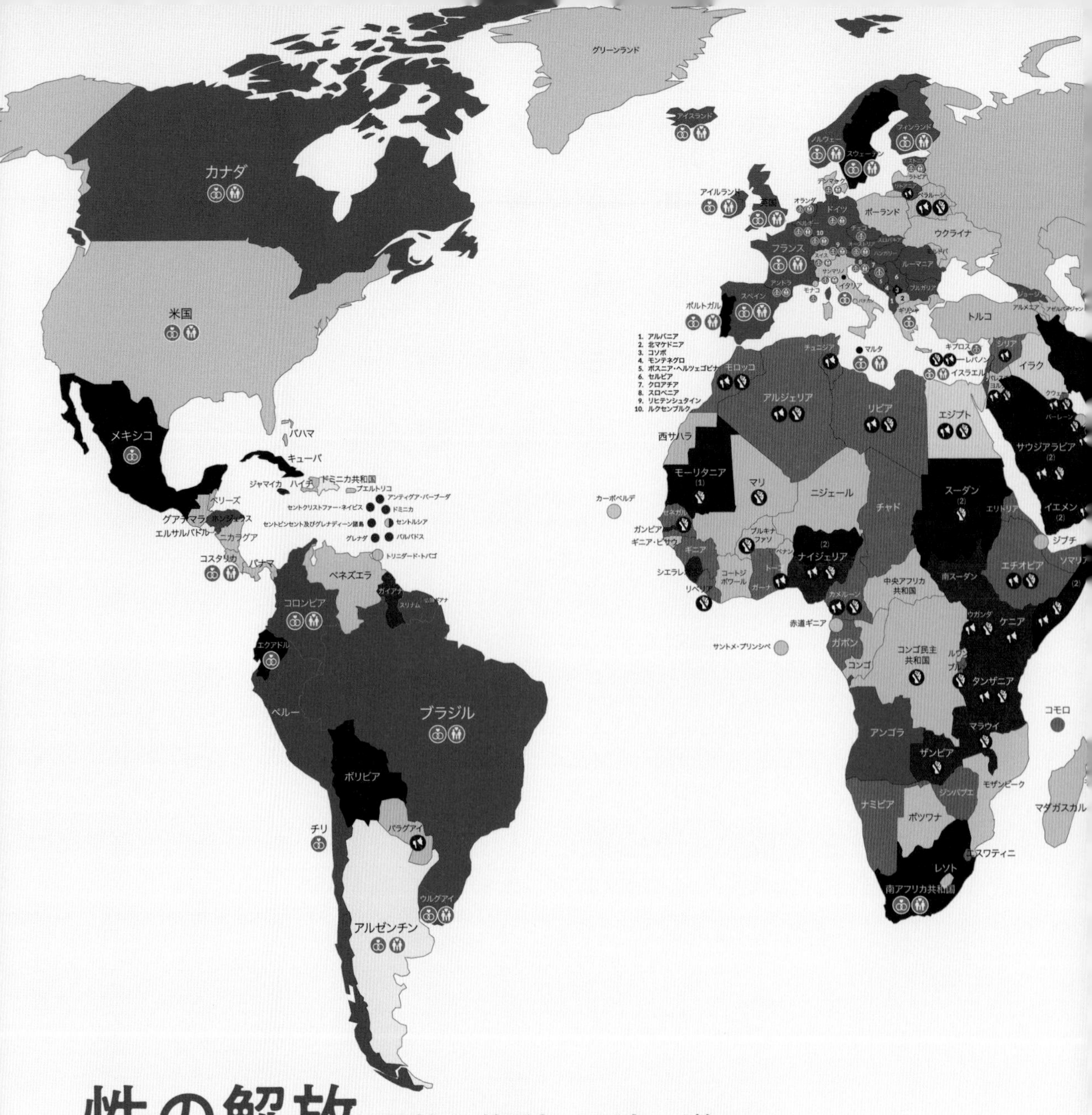

性の解放 平等な権利への遠い道のり

今もなお、世界の70カ国で「不適切」と見なされる性的行為に対して厳罰が与えられている。

生まれた国や住む国によって、人が平等な権利を与えられないという事実は、今さら驚くべき話ではない。こと性的指向に関する場合、不平等はいっそう顕著だ。レズビアン、ゲイ、バイセクシュアル、トランスジェンダー、インターセックスの人々の国際組織である国際レズビアン・ゲイ協会（ILGA）の報告書には、憂慮すべき状況がつづられている。2019年現在、70カ国において、同性愛者であると公表することはいまだに危険で、死をも意味する行為となる。性的な多様性を受け入れる世界は、ユートピア中のユートピアということなのだろうか。

過去20年ほど、ヨーロッパや南北アメリカでは明るい兆しが見られた。2001年にオラ

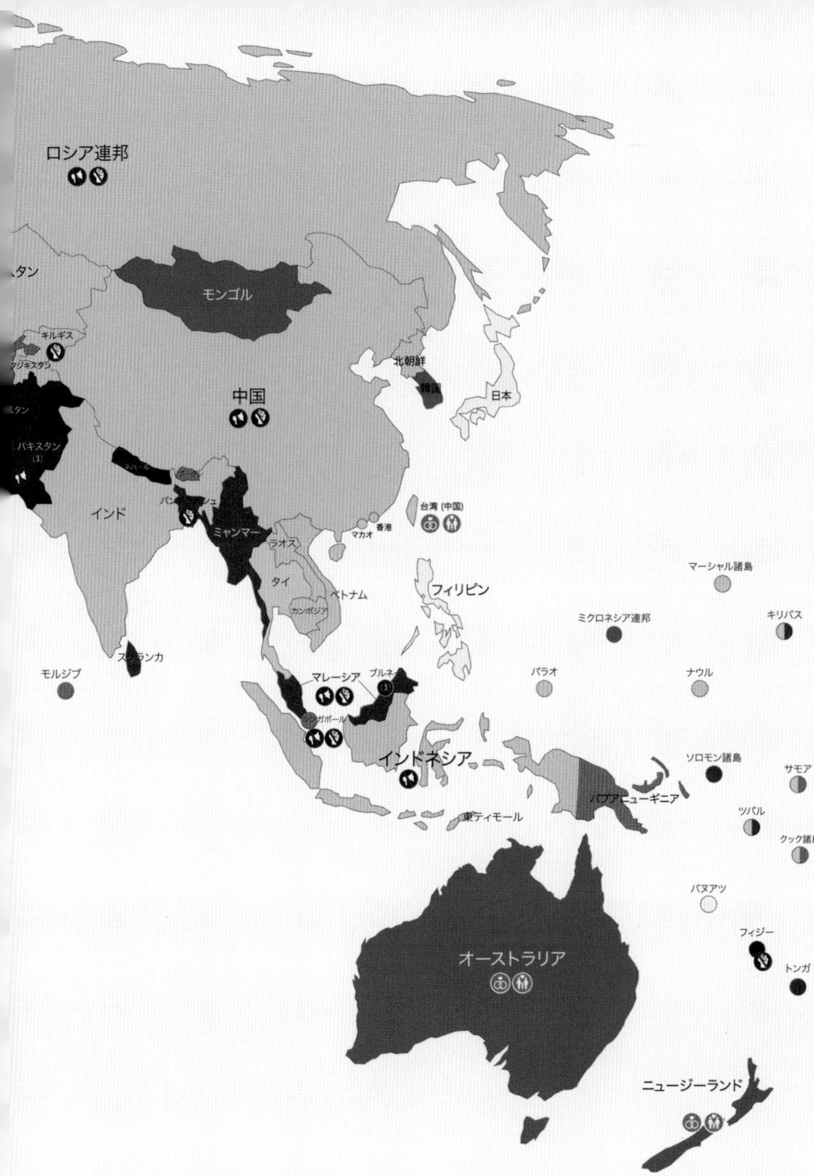

性的指向に基づく法の保護

憲法で保護	11	幅広く保護	56
雇用を保護	78	限定的／偏向的保護	7
保護なし。差別は犯罪と見なされない	55		

合意ある同性成人間の関係の犯罪化

同性カップル家族の法的認知

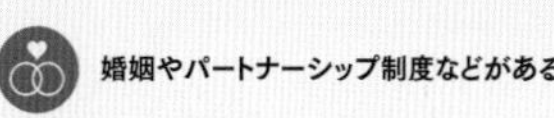

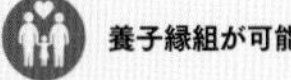

権利行使における法律の壁

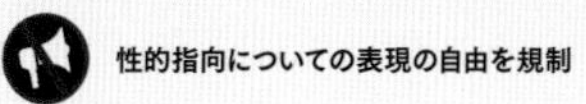

性的指向に関連する市民団体の登録・運営を規制

（2019年12月現在）

本地図のデータはルーカス・ラモン・メンドスが作成したILGAの報告書『State-Sponsored Homophobia』を参照したものである。ILGAの名が参照元として適切に表示され内容を改ざんしない限りにおいて、複製および印刷の許可は不要である。ilga.org

世界全体

同性愛が死刑に処される国は6つある

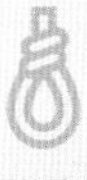

ンダが世界で初めて同性婚を認め、24の国家がこれに続いた。世界規模での変化が実感できた理由は、もう1つある。2007年に国際連合人権委員会に提出されたジョグジャカルタ原則だ。ジェンダー問題について各国が従うべき国際法の正式な整備を提案する文書である。同原則は、不妊手術や医療的治療の強制の廃止、名前変更や性転換の認可、トランスジェンダーの人々の権利保護を推奨している。ILGAの報告書には、明るい予想が盛り込まれている。「ゆっくりとではあるが確実に、私たちの性的行動を罰する法律が消滅していき（中略）私たちを差別や暴力から守る具体性を持った法律が近年大幅に増えている」

上：
ニューヨークのLGBT運動を記念する彫像

右：
バーチャル・インタラクティブ・モニュメント「ストーンウォール・フォーエバー」のスクリーンショット

右ページ：
1969年6月28日に起きたストーンウォールの暴動は、米国におけるLGBT運動の原点だ。毎年、この出来事を記念して世界中でゲイ・プライドの祭典が開催される。

CELEBRATING THE NEW
Stonewall
NATIONAL MONUMENT
#FindYourPark

「世界幸福度報告」（2018年）による各国の幸福度評価

国民総幸福量

南アジアの小国が提示した新しいビジョン

幸福の追求は最も優先されるべき根本的な目的である。
ブータン国王が新しい社会経済指標を発明したおかげで、国連もそう認めた。

ブータン

国民総幸福量を決める72の基準

2012年、国際連合は毎年3月20日を国際幸福デーと定めた。目的は、幸福の概念におけるさまざまな問題について人々の関心を高め、幸福がもはや夢物語ではない社会をいつの日か実現することだ。この決定はブータンの発案によるものだった。

ブータンでは1970年代以来、国民総幸福量を国内総生産の指標よりも重要視してきた。インドと中国に挟まれたヒマラヤ山麓の小さな国で育まれたこの概念には、単なる指標以上の意味がある。国民総幸福量とは、人生哲学であり、政府の行動計画ツールにもなる社会のビジョンである。世界で最も幸福な国ランキングの6つの条件に、「経済発展」が入っていることは否定しようがないけれど、最も重要な条件と見なされているわけではない。

ブータンの国民総幸福量に啓発され、国連が独自に作成した「世界幸福度報告」では、ただの経済的係数ではなく精神にかかわる係数として、健康寿命、人生における選択自由度、寛容、社会的支援、汚職の不在などの重要性が強調されている。常に上位を占めるのが北欧諸国であるのも驚くにはあたらない。フィンランド、デンマーク、アイスランド、ノルウェー、そしてスウェーデンは、倫理や個人の自由の尊重、自国の政治体制への信用度において突出しているからだ。国連事務総長もついに「幸福は取るに足りないことでも、贅沢なものでもない」と強調するようになり、貧困撲滅、文化救済支援、環境保護、そして文化間の相互理解などの基準について力説している。何より、平和と尊重のないところに幸福は生まれないからである。

右ページ上：
ブータンでは、持続可能な発展や環境保護と同様、精神的にも感情的にも安定していることが何より重要視される。

右ページ下：
ブータンの子どもたち。学校のある日の朝はみんなで瞑想し……やがてふざけて笑い合う。

主要な先進国における男女賃金格差
フルタイム給与所得者の男女間の賃金格差を％で表したもの

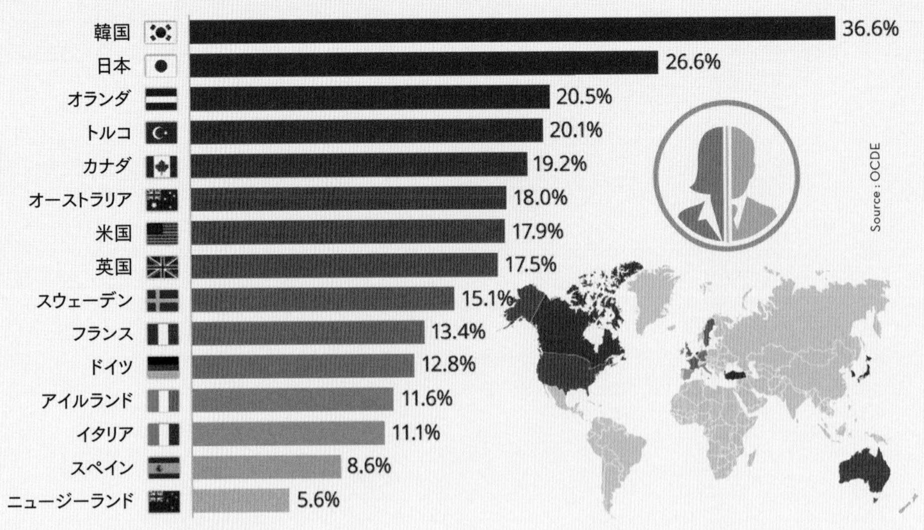

男女同一賃金

伝統的な家族観の壁

多くの国で男女の権利の平等が確立しているが、
同一賃金の義務化に成功した国はまだない。

右ページ：
「性別は違っても価値は同じ」。
フランシスコ・ジレーのポスター。

毎年11月3日になったら、ヨーロッパにいる女性たちは仕事を中止すべきだろう。なぜなら、男女の賃金格差が16.2%である以上、この日から12月31日まで女性はただ働きしていることになるのだから。西欧諸国の中ですら、賃金格差は国ごとに差がある。たとえば女性の時給の税込総額が男性のそれよりどれほど低いかを見ると、ベルギーではおよそ6.1%だが、ドイツはおよそ21.5%もある。ユーロスタット（欧州委員会の統計局）によると、フランスでは15.2%と発表されているが、不平等監視機関はフランス女性の時給は男性より25.7%低いと主張している。もちろん、統計は常に労働市場の不平等を考慮に入れて解釈されねばならない。男女賃金格差が最も少ないのはイタリア（5.5%）だが、これは女性の就業率が低いせいである。最も複雑な要素は就業時間の問題だ。ヨーロッパの女性の35.7%がパートタイムで働いている。一方、男性のパートタイマーは9.4%しかいない。

確実にいえるのは、この格差を大きくしている要因は出産であるということだ。男性のための出産・育児休暇もなく、伝統的な家族観も廃止されていない状況では、労働時間を減らしたり、より低賃金の仕事に甘んじたり、キャリアを諦めたりしなければならないのは、いつも女性になる。

DIFFERENT GENDER
SAME VALUE
right • work

ファディウート

宗教を超えた同胞愛の模範

セネガルにあるこの小さな村では、キリスト教徒とイスラム教徒が数世紀にわたって共に暮らし、助け合ってきた。

ンブール県（セネガル）

イスラム教徒とキリスト教徒の共同体

上：
島の有名な墓地。信仰の異なる者たちが仲良く永眠する。

左ページ：
寛容のシンボルであるハートが飾られたファディウートの教会。

セネガルのプティットコート沿岸地方の端、ダカールの南東に、唯一無二の不思議な村がある。まずその地形が独特だ。ファディウート村は貝殻でできた人工島で、対岸にある賑やかなジョアル港と木の橋でつながっている。さらに独特なのは、その宗教的寛容だ。ファディウートの共同体にはキリスト教徒とイスラム教徒が隣り合って安らかに眠る墓地がある。そもそも村の成り立ち自体が宗教的独立性を具現しているというべきだろう。中世以降、イスラム化を拒み、信仰を守るために進んで移住してきたセレール族が築いた共同体は、寛容と互助を何より大切にする島特有の気質を発揮しつつ歩んできた。復活祭やクリスマスにはキリスト教徒がイスラム教徒を招待し、イスラム教徒は犠牲祭にキリスト教徒を招く。イマム（イスラム教の指導者）はカトリック司祭の叙階式に出席する。教会やモスクの建設とあらば、互いに力を貸し合う。宗教上の事件を乗り越えて、セレール族が勝ち取ってきた古来の文化は、誰をも差別することなく、すべてのファディウート人の心を1つにしてきた。

共に生き、共に死ぬことを選択した住民たちが先祖代々受け継いできた伝統は、宗教混合の墓地に反映されている。貝殻を寄せ固めてできている島の村では、土葬などという言葉は使わない。村民は死ぬと永遠に「貝殻の中に入る」のである。橋の向こう側で生まれ、ネグリチュード（黒人的特性を賛美する文学運動）の詩人として活躍し、セネガル大統領でもあったレオポルド・セダール・サンゴールも、この詩的な表現を聞いたら、まんざらでもない顔をするだろう。

ユートピアの実験室

あらゆる分野で毎日のようにユートピアの実験が行われている。ごく一握りの人たちの信念から生まれたもの、たまたま好条件が整ったため始まったものなど、きっかけはさまざまだ。たとえ中途半端でも不完全でも、これらの試みには意義がある。あるいは、かつて意義あるものだった。夢の黒板の上に残ったチョークの跡から、新しい発想が生まれることもある。カオスのような実験から、想像もしなかったような成果が導き出されることも少なくない。たとえばインドネシアでは、廃棄物が富を生むようになった。フランスの子どもたちは、社会保障がもともとは荒唐無稽な望みだったということを知らない。懐疑派が「絶対に失敗する」と予言していたウィキペディアに至っては、数年で人類史上あり得なかった驚異の百科事典に発展した。ユートピアの大実験室はこれからも私たちを驚かせてくれるだろう。

ウユニ塩原
（ボリビア）

ボリビアのリチウムは
ボリビア人のもの

ウユニ塩湖のリチウム鉱床

南米最貧国から
ホワイトゴールドの国へ

数世紀もの間、
搾取され続けたボリビア国民は、
リチウム鉱床の恩恵を
きちんと受けられるのだろうか。
国を挙げての計画は今も続いている。

ガスと鉱山資源の豊富な埋蔵量を誇るボリビアであるが、意外にもラテンアメリカで最も貧しい国の1つという地位から抜け出せずにいた。海外の多国籍企業によって、豊かな天然資源を搾取されてきたためだ。しかし2000年代初頭、ようやくボリビア国民はもっと明るい未来を思い描けるようになった。国の南西部にあるウユニ塩湖で世界最大規模のリチウム鉱床が発見されたためだ。その埋蔵量は世界の埋蔵量の約24%に当たることが分かっている。携帯電話や電気自動車のバッテリーの製造に欠かせないリチウム。新たな天からの恵みは、またも外国企業の手に渡ってしまうのだろうか。いや、今後はそうならないはずだ。2009年に施行された新憲法により、ボリビア国民は自国の天然資源の所有者となったのである。まさに「21世紀の石油」と呼ぶべきリチウムは「戦略的資源」という異名を持ち、ボリビア政府が独占管理している。確実な富を手にしたボリビアは、これで大半の国民が貧困から抜け出せるという期待で盛り上がった。

国の宝の採掘を最適化するため、政府はリチウムの精製を自国の工場で行うことにした。以来10年間、大量のかん水がポンプでくみ上げられ、巨大なタンクへ運ばれている。いずれは自国製リチウム電池を製造したいところだが、リチウムの採取はかん水の蒸発を待たねばならない。そして、この工程には膨大な時間、巨万の投資、さらに熟練の人材が不可欠だ。莫大な投資とともに着手されたプロジェクトだが、いまだ走り出せず、リチウム採掘のライバルであるチリとアルゼンチンに大きく水をあけられている。生産が軌道に乗らなければ、そのうちリチウムの価値自体が過去のものとなり、ボリビア人の富は永遠に夢物語の中に閉じ込められたままになってしまう。

上：
塩の砂漠にも動物は暮らしている。小型のラクダやオオフラミンゴに出くわすこともある。

右：
国営のボリビア鉱業公社（COMIBOL）はかん水から炭酸リチウムを採取するため多数の蒸発用人工池を管理している。

右ページ：
人工衛星から撮影した画像。国営リチウム工場の巨大な蒸発用人工池が上部左側に見える。

米国、ヨーロッパ、
ニュージーランド

1970年代から増え続ける
「大地の船」

アースシップ

限りなく大地と一体化した家

現代の環境問題への対処法を
体現した建物、アースシップ。
半分が土に埋まった
シンプルな居住環境を提案する。

その建物は、まるでいたずらな小妖精のすみかのように自然の中に溶け込んでいる。土に根をおろしているどころか、土そのものでできているようにも見える。米国の建築家マイケル・レイノルズの想像力から誕生した「アースシップ（大地の船）」。そのコンセプトは、ヒッピー思想でおなじみの「大地へ還る」だ。レイノルズは1970年代初頭、米国ニューメキシコ州に約60のアースシップを建てた。アースシップの使命は、自然環境を損なうことなしに、低コストで実現可能な自給自足の居住環境を提供することだ。建築材はリサイクル素材や回収品で賄う。土を詰めた古タイヤが壁になり、外壁にはアルミニウム缶を使い、はめ込まれたガラス瓶が窓の役目を果たす。練り土、日干しレンガ、荒壁土などの古来の技法も取り入れ、断熱効果のため思い切って家の一部を地面に埋めている。ソーラーパネルによる暖房と真南を向いたガラス張りの壁で暖気を取り、貯水槽に集めた雨水を活用し、温室で果物や野菜を育てる。

はたしてこれは夢の家なのか、それとも浮世離れしたプロジェクトなのだろうか。地球環境に与える悪影響は最小限に抑えられているものの、それぞれのアースシップに固有の課題はある。プロジェクトの心臓部ともいえる自給自足は、現実の壁にぶつかっている。バッテリーやガスなど外部からのエネルギーに頼らず、あるいは共同体を形成せずに快適な暮らしを送ることは、とても難しいのである。

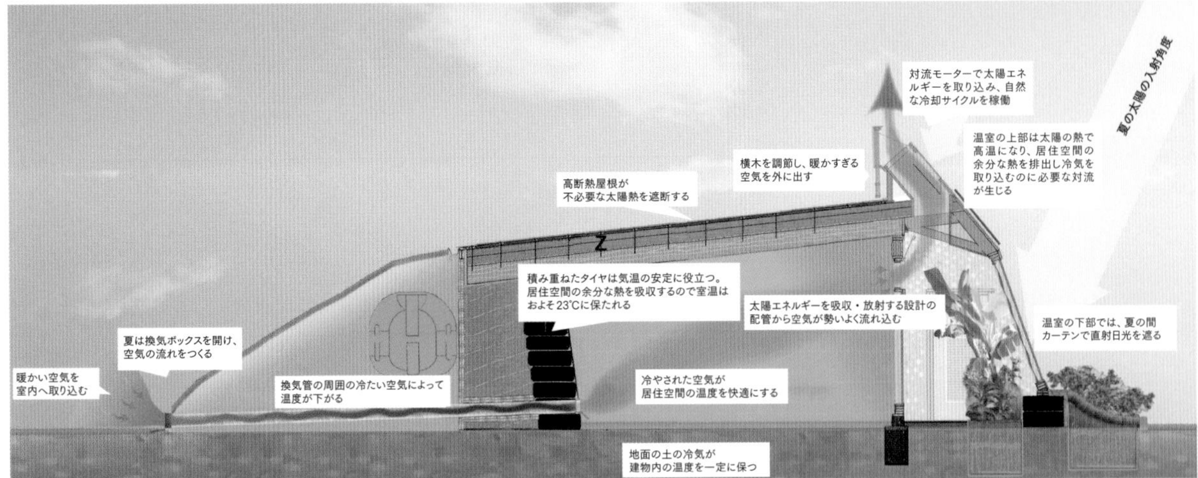

上：
確実にエネルギーを自給自足できるよう換気と冷却のシステムは緻密に設計されている。

右：
プロジェクトで最も重要なのは光と自然だ。

右ページ：
アースシップは半分が土に埋まっているため、寒気から守られ、周囲の自然に溶け込んでいる。

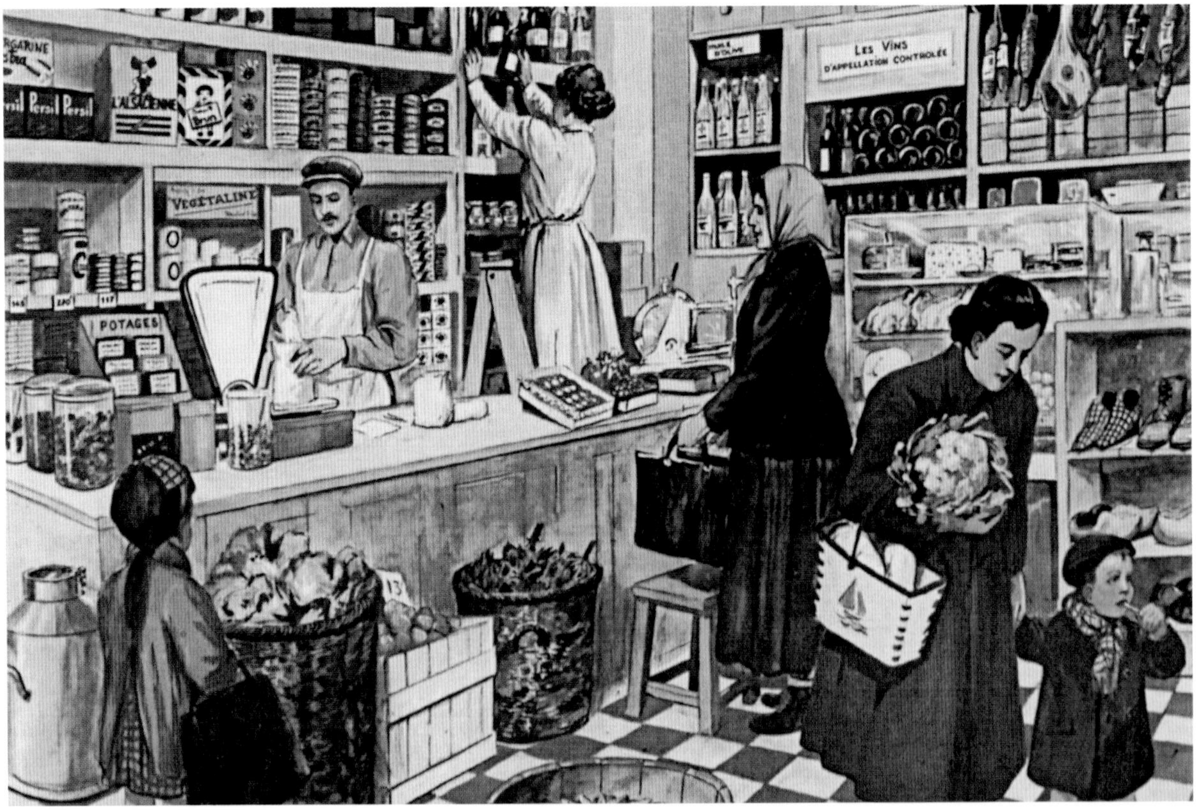

LES VINS
D'APPELLATION CONTROLÉE
Persil Persil Persil
L'ALSACIENNE
VEGETALINE
POTAGES

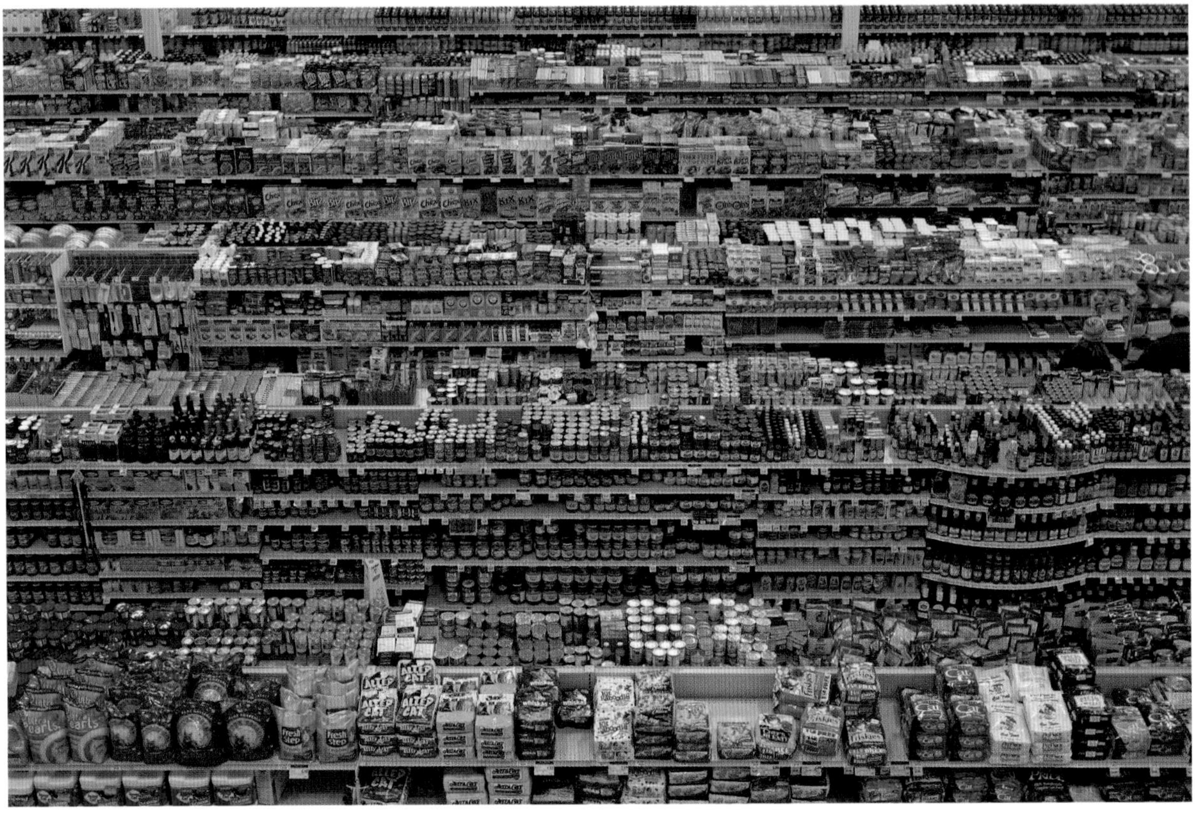

YUKA

賢い消費者と良心的な生産者を育てるアプリ

小さなアプリが消費行動のみならず社会そのものまで変えることになるとしたら？

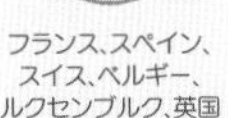

最近の農産物加工業をめぐるスキャンダルに、フランスの消費者は警戒心だけでなく不安感を抱えている。極めて不透明なやり方で危険な食品を提供する企業から、どう身を守ればよいのだろうか。分かりにくい略号の下に隠された添加物、飽和脂肪酸、塩分、そして糖分の無法地帯に迷い込んだらどうすればいいのか。肉やブリオッシュのロビー団体と渡り合うために、消費者は何ができるだろう。2017年以降、この微妙な問題に真正面から取り組んだ3人の若い起業家が、消費者にたくさんの選択肢を与えてくれた。彼らが提供する無料アプリ、YUKAの機能は至ってシンプルだ。ボロネーゼソースやポテトチップスの袋のバーコードを読み取ると、栄養価や健康への有害度が表示される。青やオレンジ、そして赤い信号が点灯し、スコアが瞬時にはじき出される。ニンジンのロゴでおなじみのYUKAは、メーカーおよび流通業者からは完全に独立したクリーンな存在であり、登場から2年で利用者は700万人に達した。

新しい形のコミュニティーを形成するユーザーたちは、アプリの修正や改善を通じて貢献している。いわば食品版ウィキペディアとも呼ぶべきYUKAだが、フランス人の消費行動が大きく変わるとき、同アプリの影響力はスーパーマーケットの枠を超えて広がるだろう。世界にまたがるこのプロジェクトは、消費者をより健康的な製品の購入へと向かわせるはずだ。売り手は完全な情報開示を求められ、良心的な農業や人体に無害な添加物を選択するよう強いられる。最終的には、人々の健康にとっても地球にとっても恩恵をもたらすことになるだろう。YUKAは最近、化粧品の評価を追加し、類似のアプリも登場している。後続各社は、賢い購買者という新しい消費モデルを国際的に展開し、世界の消費者を「消費者運動家」に変身させようとしている。デジタル時代の到来以前には想像もできなかった新世代のユートピアができつつあるようだ。

左ページ上：
小さな食料品店での典型的な情景。1970年代初頭までフランスの小学校で広く使用されていた「生活の一場面」の絵の1つだ。

左ページ下：
スーパーマーケットの陳列棚に積み重ねられた加工食品の山。

未来の食材

カリフォルニアの実験

植物由来の代替卵や合成牛乳は
飢餓の救世主となり得るだろうか?

カリフォルニア州
(米国)

世界の農作物の35%が
畜産に使われる

下：
土を使わずに水耕栽培で成長するサラダ菜。中性の培地に植えられた根は養分と無機塩をたっぷり含んだ液体を吸い上げる。

地球の生態系が前代未聞の危機に直面し、世界人口が毎年7500万人近く増え続けるなか、昔ながらの工業型農業だけでは人々の食料を賄えなくなることは、占い師でなくても予言できる。米国カリフォルニア州では、数十社のベンチャー企業が創意を競いながら、テクノロジーを新しい形で食品開発に応用しようとしている。食料難解決の鍵を握るのは、この地域かもしれない。これまでもワインやアーモンドや新鮮な果物の生産地として、市場で確固たる地位を築いてきたカリフォルニアであるが、今や生化学の実験室において私たちの日々の食料を再発明するという新たな試みに乗り出している。その一例が植物由来の代替卵だ。モロコシを原料とするこの“卵”は、鶏卵に比べて、動物や環境に対してより倫理的で、製造コストが低いうえ、コレステロールゼロだから健康のためにも優れた食材である。

1キログラムの肉を生産するには2～7キログラムの穀物が必要となるため、動物性たんぱく質は厄介な問題をはらんでいるが、大豆、エンドウ豆その他、わずかな水で光合成して成長する植物に由来するたんぱく質を使えば、その問題も解決する。それだけではない。未来のメニューには、酵母をベースとし乳糖を含まない合成牛乳や、ビタミン類豊富な海藻類などもそろっている。風変わりなメニューではあるものの、生産コストと環境汚染を抑えた生産システムが確立されれば、世界の飢餓との闘いで強い戦力となる可能性は大きい。

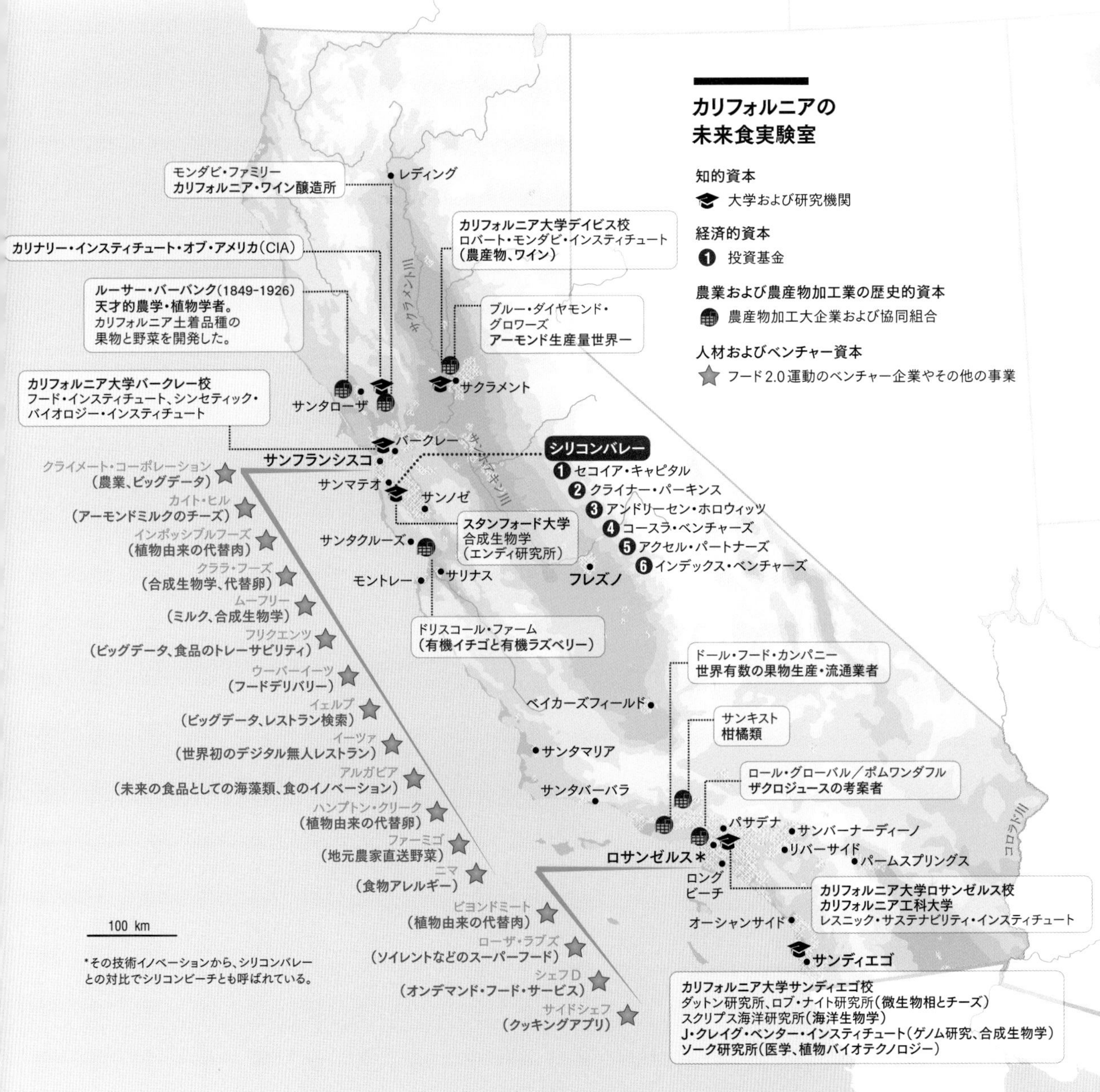
カリフォルニアの
未来食実験室
知的資本
大学および研究機関
経済的資本
投資基金
農業および農産物加工業の歴史的資本
農産物加工大企業および協同組合
人材およびベンチャー資本
フード2.0運動のベンチャー企業やその他の事業
モンダビ・ファミリー
カリフォルニア・ワイン醸造所
レディング
カリフォルニア大学デイビス校
ロバート・モンダビ・インスティチュート
（農産物、ワイン）
カリナリー・インスティチュート・オブ・アメリカ（CIA）
ルーサー・バーバンク（1849-1926）
天才的農学・植物学者。
カリフォルニア土着品種の
果物と野菜を開発した。
ブルー・ダイヤモンド・
グロワーズ
アーモンド生産量世界一
サクラメント川
カリフォルニア大学バークレー校
フード・インスティチュート、シンセティック・
バイオロジー・インスティチュート
サンタローザ
サクラメント
バークレー
サンフランシスコ
シリコンバレー
1 セコイア・キャピタル
2 クライナー・パーキンス
3 アンドリーセン・ホロウィッツ
4 コースラ・ベンチャーズ
5 アクセル・パートナーズ
6 インデックス・ベンチャーズ
サンマテオ
サンノゼ
スタンフォード大学
合成生物学
（エンディ研究所）
サンタクルーズ
モントレー
サリナス
フレズノ
クライメート・コーポレーション
（農業、ビッグデータ）
カイト・ヒル
（アーモンドミルクのチーズ）
インポッシブルフーズ
（植物由来の代替肉）
クララ・フーズ
（合成生物学、代替卵）
ムーフリー
（ミルク、合成生物学）
フリクエンツ
（ビッグデータ、食品のトレーサビリティ）
ウーバーイーツ
（フードデリバリー）
イェルプ
（ビッグデータ、レストラン検索）
イーツァ
（世界初のデジタル無人レストラン）
アルガピア
（未来の食品としての海藻類、食のイノベーション）
ハンプトン・クリーク
（植物由来の代替卵）
ファーミゴ
（地元農家直送野菜）
ニマ
（食物アレルギー）
ビヨンドミート
（植物由来の代替肉）
ローザ・ラブズ
（ソイレントなどのスーパーフード）
シェフD
（オンデマンド・フード・サービス）
サイドシェフ
（クッキングアプリ）
ドリスコール・ファーム
（有機イチゴと有機ラズベリー）
ドール・フード・カンパニー
世界有数の果物生産・流通業者
ベイカーズフィールド
サンキスト
柑橘類
サンタマリア
ロール・グローバル／ポムワンダフル
ザクロジュースの考案者
サンタバーバラ
パサデナ
サンバーナーディーノ
リバーサイド
パームスプリングス
コロラド川
ロサンゼルス＊
ロング
ビーチ
カリフォルニア大学ロサンゼルス校
カリフォルニア工科大学
レスニック・サステナビリティ・インスティチュート
オーシャンサイド
サンディエゴ
カリフォルニア大学サンディエゴ校
ダットン研究所、ロブ・ナイト研究所（微生物相とチーズ）
スクリプス海洋研究所（海洋生物学）
J・クレイグ・ベンター・インスティチュート（ゲノム研究、合成生物学）
ソーク研究所（医学、植物バイオテクノロジー）
100 km
＊その技術イノベーションから、シリコンバレー
との対比でシリコンビーチとも呼ばれている。

BORD L•II

廃棄物ゼロの都市

ゴミを出さない社会を目指して

廃棄物なき世界というユートピアは
私たち一人ひとりの思いから始まる。

世界全体

地球の食料の
3分の1は廃棄されている

上：
ペイントされたリサイクル用回収容器。
オーストラリアにて。

左ページ：
ポルトガルの芸術家、ボルダーロIIが
廃棄物だけで創ったウサギ。

新品を買う代わり修理に出したり、洗剤を手作りしたり、プラスチック容器の利用を減らすために量り売りを利用する人が増えているという。そうしたトレンドは大歓迎だ。生活廃棄物や産業廃棄物を本格的な芸術作品に変身させる人たちもいる。このように、人間活動が地球環境に与える影響に危機感を抱く人々がいわゆるゼロウェイスト運動を支持する一方、大規模なリサイクルはなかなか進んでいない。実際、毎年人間が出す40億トンのゴミ（産業廃棄物も含む）のうち、リサイクルされるのはたった6億~6億5000万トンだ。こうした数字を掲げ、ゼロウェイストは循環型経済と同じく極めて重要な目標であると断固主張する経済学者でさえも、それが手の届かない神話だという意識を捨てきれずにいる。それでもなお、この難題に真正面から取り組む自治体もある。

イタリアの小都市カパンノリは、堅固な政策と住民の熱心な協力によって、廃棄物の88%をリサイクルし、ゼロウェイストのモデルタウンとなった。同様に、米国のサンフランシスコも短期間での廃棄物ゼロ実現を宣言している。その政策を支えるのは、リコロジーという社員3000人を抱える従業員所有企業だ。極めつきはアラブ首長国連邦、アブダビ近郊のマスダールシティーである。現在建設中のこの実験都市では、ゼロウェイストそしてゼロカーボンをなんと砂漠の真ん中で実現している。

これら各地域内で成功している取り組みを、今度は国レベルで取り入れていきたいものだ。7つ目の大陸（プラスチックが海に堆積してできた島）がいつの日か、苦い思い出の1つとなるように。

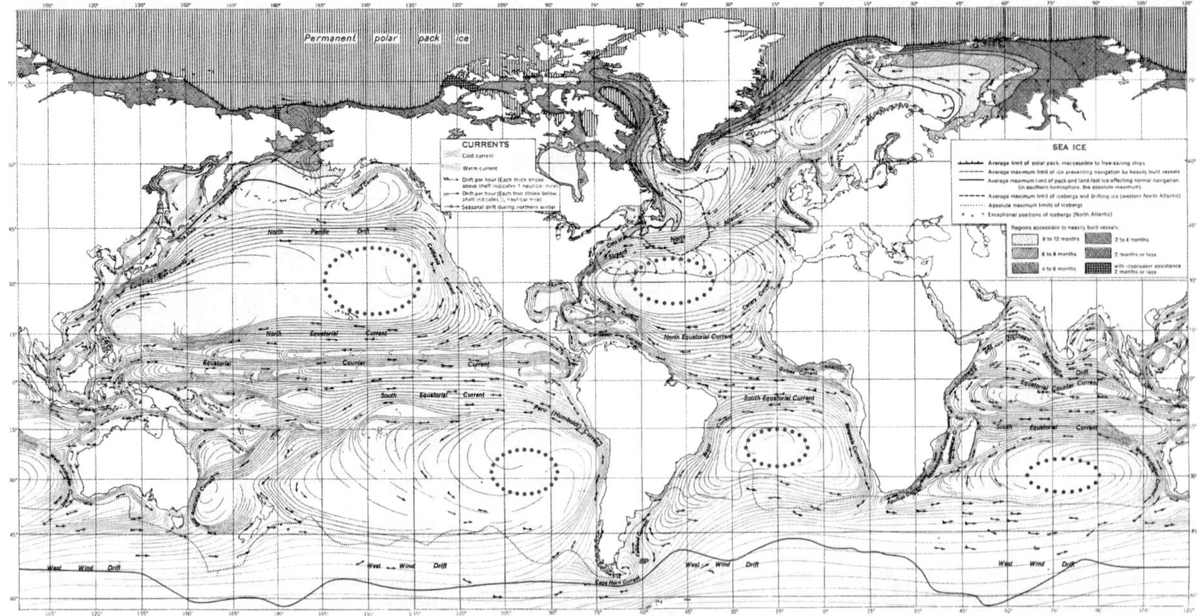

上：
北大西洋をはじめ世界中の海域で、海流に運ばれたゴミが海洋渦（地図上の点線部分）を形成している。

右：
七色にペイントされたドイツのごみ箱。

右ページ上：
建築家ノーマン・フォスターが設計したマスダールシティー。

右ページ下：
岡山県にあるゴミで創った現代アート。

フランスの社会保障制度「セキュ」

現在進行形のユートピア

明日の心配をすることなく暮らしたい。
そんな普遍的な夢は第二次世界大戦後のフランスでかなえられた。

フランス

ナポレオン3世の時代から始まった試み

ノルマンディー上陸作戦に先立つこと数週間、1944年3月15日にフランスのレジスタンス組織、全国抵抗評議会は戦後に向けた驚くべき社会改革計画を採用した。計画には「すべての市民を対象として、労働によって自らの生活を支えられない場合には必ずこれを保障するような、完全包括的な社会保障計画」が想定されていた。当時のフランスには社会保障制度が完備されていたが、選択制であったため、いわゆる国民皆保険制度ではなかった。全国抵抗評議会は、従来の社会保障の適用分野を広げ、また国民全員を加入させるという型破りな野望を抱いていた。世代間の連帯、そして健康な者と病人の連帯という二重の連帯が1946年から1948年にかけて展開した。背景には、「苦痛や疎外と決別する」ことを固く決意したド・ゴール主義者ピエール・ラロックと共産主義者アンブロワーズ・クロワザによる強い後押しがあった。2人の人道主義者が夢見た、すべての人のための社会保障は、農業従事者や特別制度の対象となっていた給与生活者の抵抗に遭った。しかし2人のおかげで、フランス人は以後、大別して健康（病気、出産、廃疾、死亡など）、労働災害と職業病、老齢（年金）、家族（家族手当など）の4分野で保障を受けられるようになる。現在、「セキュ」の欠点をあげつらい当局公務員を戯画化することは当たり障りのないジョークとされているが、世界に目を向ければ、失業保険を受け取れる賃金生活者は全体の3分の1（南米では38%、アフリカでは8%）、出産手当金をもらえるのは全女性の40%に過ぎない。たとえ不完全であっても、フランスの社会保障制度は他国から見ればユートピア以外の何ものでもないのである。

下：
20世紀初頭の広告。個人向け保険を提供する企業のもの。

右ページ上：
2017年2月、ロサンゼルス市民が米国連邦保険制度「メディケア」の全国民への拡大を求めて行ったデモ。現在加入している米国人は6000万足らずだ。

右ページ下：
2010年10月、年金制度改革に反対するパリ市民のデモ。

LOVE IT! IMPROVE IT! MEDICARE FOR ALL!
#Medicare4All
LOVE IT IMPROVE IT MEDICARE FOR ALL
Healthcare is a Human Right
LOVE IT! IMPROVE IT! MEDICARE FOR ALL!
METRO, BOULOT, CAVEAU 
NON MERCI !
NOUS SOMMES TOUS DES MOUTONS NOIRS

アイスランド

世界で一番平和な国

軍隊も武装警察官も持たないアイスランドは、
争いのない世界への道しるべとなる国家だ。

アイスランド

経済協力開発機構（OECD）加盟国中最も殺人率が低い

上：
「平和な世界を想像してごらん」という歌詞は、光の塔イマジン・ピース・タワーの台座に24か国語で彫り込まれている。

左ページ上：
妖精が住んでいそうな風景。アイスランド人は今も大いなる敬意をもって小妖精の話をする。

左ページ下：
島の活発な火山活動のせいで湧き出る温泉は、安息と健康のためのひとときを与えてくれる。

世界平和の実現以上にユートピア的な（つまり非現実的な）目標はあるだろうか？ 紛争は複雑さを増し、不安感が急上昇している現在、アイスランドは「安心して生きることは可能なのだ」と教えてくれる。この北欧の小国は実に2008年から2023年まで16年連続で世界平和度指数の首位を守っている。平和度指数とは、『エコノミスト』誌およびシンクタンクや大学の平和研究者で構成される専門審査委員会が作成する、世界各国の平和格付けである。地理的に他国から遠いアイスランドが、国家保安において有利なことは否めない。しかしこの国が「ナイスランド」（親切な国）というニックネームを持つのは、的確な行政決定と文化的選択のたまものである。

アイスランドは北大西洋条約機構（NATO）の設立メンバーだが、沿岸警備隊を除いては、世界でも希少な軍隊なき国家でもある。犯罪率が並外れて低く、警察官も普段は武器を携行していない。住民同士には深い信頼関係があり、ベビーカーを赤ちゃんごと歩道に置いたまま店内の窓際で友だちとコーヒーを楽しむ人もよく見かける。

アイスランド人の平和愛は、首都レイキャビクに建てられたイマジン・ピース・タワーに象徴されている。ジョン・レノンの平和賛歌へのオマージュであるこのタワーからは、空に向かって光の塔が放たれる。

左：
壮大な火山と穏やかな平原。アイスランドの安らぎに満ちた暮らしは素晴らしい。

バーニングマン

限界を突破する砂漠の奇祭

境界線を打ち破り、創造力を無限に発揮する。
毎年このフェスティバルが始まると、
ネバダ州の砂漠はあらゆる可能性に満ちたユートピアとなる。

1986年以降、毎年、ネバダの砂漠の真ん中に期間限定の町ブラックロックシティーが出現し、バーニングマンというフェスティバルが開催される。一分の隙もない半円状構造のイベント会場へと、8万近い人々が集まってくる。アーティスト、反主流派、または珍しい経験をしてみたい人なら誰でも歓迎される。7日間にわたる濃密な祭りが終わると、人工物はすべて焼却され、参加者がそこに滞在した痕跡は完全に消される。つまり、バーニングマンとは本来の姿に立ち返ってアートと自由を謳歌する、まさに異教文明的な祝祭というわけだ。しかし、この仮設ユートピアを体験するには、以下の10の原則を守らなければならない。

(1)どんな人でも受け入れる共同体として、参加者は誰でも歓迎しよう。(2)無私の贈与の精神を持ち、金による売買ではなくポトラッ

上：
毎年1週間、砂漠は数々の斬新なショーの舞台になる。

ネバダ州(米国)

祭りが終わると
痕跡は完全に消される

チ（互いに贈り物をする北米先住民の習慣）の原理で動こう。(3) 貨幣経済から離れよう。通常の金銭のやり取り、広告はほぼ禁止とする。(4) 徹底的に自分の力だけで暮らそう。砂漠での生活に必要なものは参加者各自が持参すること。(5) 本来の自分を表現し、他者の創造性を尊重しよう。(6) 参加者全員が力を合わせて、イベントを協力と協働の時間にしよう。(7) 市民としての責任を持とう。(8) 環境に配慮し、イベントの痕跡を残さずに去ろう。(9) 傍観者として体験するのではなく、行動者として積極的に参加しよう。(10) 行動者として今このときを生きよう。

この輝くような芸術的陶酔感に影を落とすものが1つある。バーニングマンは贅沢な祭りになってしまった。参加費が今や400ドルを超えているのだ。

上：
2014年のイベントで炎に包まれるマシュー・シュルツの彫像『抱擁』。

左：
主催者側の徹底した要請により、フェス参加者のキャンプ地はイベント会場の弧状構造に従って設営される。

左ページ：
『R-Evolution』と呼ばれる彫像。2015年のテーマは「鏡のカーニバル」だった。

ウィキペディア

日々更新されるユートピア

数百万人のボランティアが執筆するオンライン百科事典は全世界の知の殿堂となった。

フロリダ州
セントピーターズバーグ
（米国）

毎日2万5000件以上の
新しい記事が登場

設立の経緯さえが、まるで嘘のような本当の話である。2001年、ジミー・ウェールズとラリー・サンガーという2人の米国人が、インターネット上で世界初のフリー百科事典「ニューペディア」の構築に乗り出した。編集方針は非常に厳格で、査読には7つの段階を設け、執筆者は基本的に博士号取得者に限った。記事編集プロセスの制約があまりに多かったせいで、ニューペディアは頓挫した。ウィキペディアはニューペディアの補完的なプロジェクトとして始まり、当初はフリーソフトに慣れ親しんでいるソフト開発者の仲間内で展開していた。18世紀半ばの百科全書派ディドロとダランベールのように、ウィキペディアに夢を託した人々は時代の最先端技術を駆使して、人智を網羅した百科事典をあらゆる人に無料で届けるという理想を追求した。ウィキ技術（不特定のユーザーが共同でブラウザから直接コンテンツを編集できるシステム）を用いて、ボランティアたちは驚嘆すべき自主管理システムのもと、平等な立場で百科事典の執筆、管理、変更、そして改良を行っている。ウィキペディアは無限の知的資源を提供する場となり、その信頼性は従来の百科事典に勝るとも劣らない。資本主義社会において必然である利益には頼らず、人間の本質を理想視したコンセプトに基づく試みなど、成功するはずがない——懐疑派はそう決めつけていた。2001年12月、設立から6カ月経った時点でのフランス語版ウィキペディアの記事数は55本。氷山のちっぽけな一角に過ぎなかった。2019年5月7日時点の記事数は210万4441本、執筆者は343万9396人にのぼる。そして読者数は無限に増え続ける。

右：
ウィキペディアの最初の1文字または1音を多言語で表したロゴ。球体が不完全なのは、百科事典には完成形などないからだ。

右ページ：
ヨーロッパのウィキペディアのマッピング。記事で取り上げられている地域、記事の文字数とリンク数、執筆者の居住地が視覚化されている。

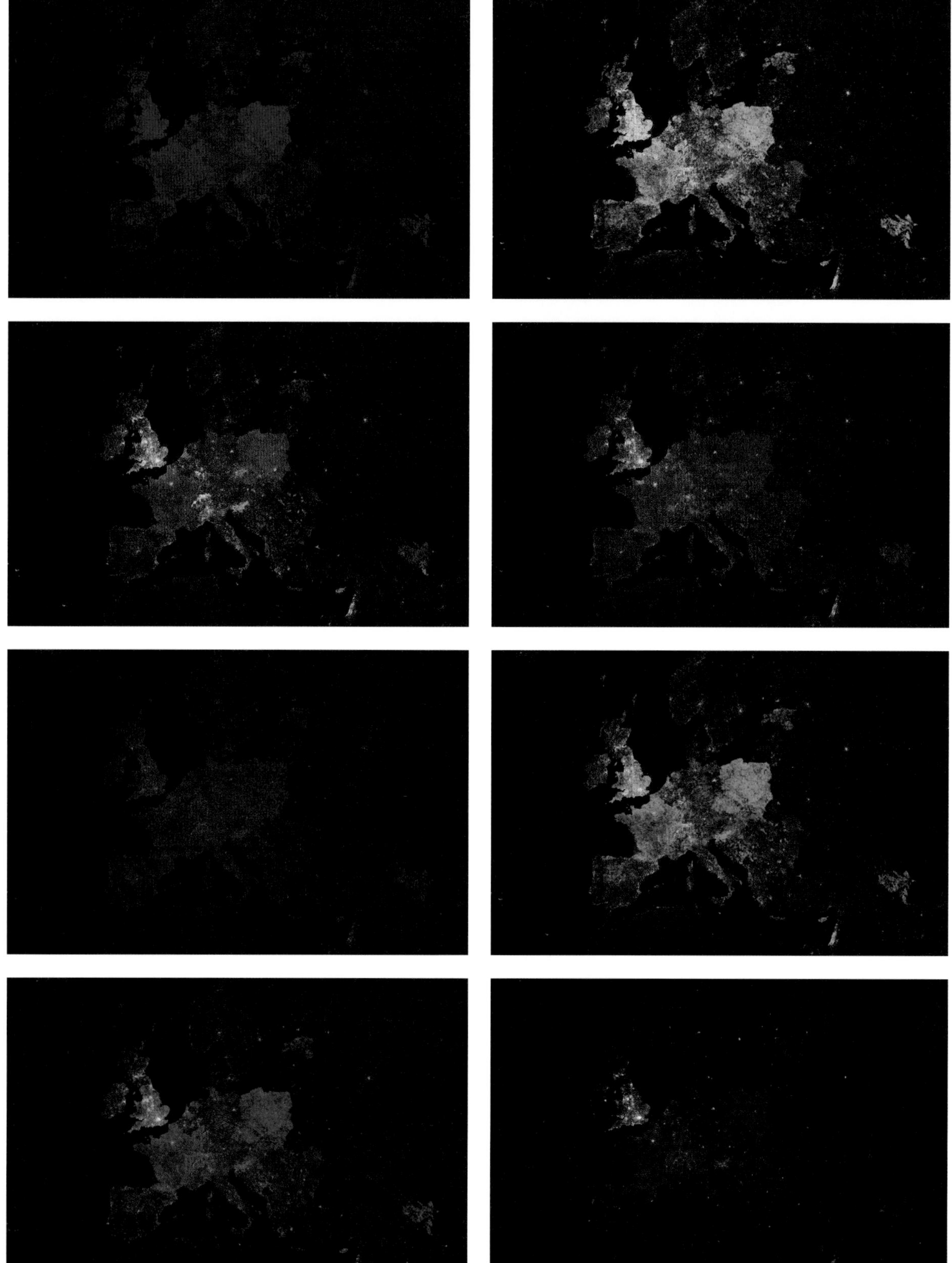

サンパウロ・コリンチャンス

独裁政権下で民主主義を育んだサッカーチーム

サンパウロのサッカーチーム「コリンチャンス」は
軍事独裁政権下のブラジルにおいて、自主管理の効用を証明してみせた。

サンパウロ
（ブラジル）

「民衆による民衆のための」
チームとして1910年に発足

上：
元パリ・サンジェルマンの選手ライーの兄であり、ブラジル代表のキャプテンを務めたソクラテスは、驚くべき試みを通じてヒューマニズム思想を広めた。

右ページ：
コリンチャンスの成績の良し悪しに関係なく、サポーターは白と黒のチームカラーに永遠の愛を誓う。

1964年に始まった軍事独裁政権下、ブラジル国民はあらゆる場面において完全にお上に押さえつけられていた。サッカーも例外ではなかった。ごくわずかな特権階級の選手を除き、チームに所属する選手は不利な契約に拘束され、軍事政権の言いなりとなって、社会が平和であるよう見せかけるために動く将棋の駒に過ぎなかった。そんな中でサッカーチームのコリンチャンスは1981年、前代未聞の悲惨な成績を残した。追いつめられたクラブ幹部は若手の社会学者アディルソン・モンテイロ・アルベスをテクニカルディレクターに任命する。アルベスは着任早々画期的な決断をした。チームのすべてを自主管理に任せることにしたのだ。コーチの採用、プレーの技術、興行収入の分配など、あらゆる決定事項について、平等の原理の下でチーム内の採決を取った。スター選手ソクラテスから一介のグラウンドキーパーに至るまで、それぞれの意見は同じ重みを持った。独裁政権下にあって、完全な民主主義が生まれたのである。広告を打つ代わりに、選手のユニフォームには「コリンチャンスの民主主義」というフロック加工のメッセージを入れた。

驚異的なプレーで選手権を制したことから、テレビ中継によってコリンチャンスのメッセージはさらに広く知られるようになった。1983年の決勝戦（サンパウロ州選手権）、選手たちは「勝とうが負けようが、民主主義に変わりはない」という横断幕を掲げて入場した。コリンチャンスはチャンピオンとなり、軍部は激怒した。サッカー選手が王様扱いされる国で、民主主義こそが勝利につながる選択であることを、1つのサッカーチームが証明したのである。「ほとんどのブラジル人には教育を受けるチャンスがないから、彼らは政治について何も知らない。ぼくたちはサッカーの言語を使って、みんなに政治の知識を教えた」とソクラテスは述べている。この試みは1985年、ブラジルが民主主義政治へ移行したときに終わった。

10
SAÚDE

パレスチナのキブツ

共産主義のミニチュア版

20世紀初頭、平等主義と共同体主義を掲げる農村がパレスチナに誕生した。

イスラエル

全員同じ生活レベルで暮らす

上：
ナハラルのキブツ。イスラエルの主要にして最初期の農業共同体は同心円状の集落である。

左ページ上：
イスラエル北部のエズレル平野でキブツ・アロニムが発足した当時の様子。塀を建設しているところ。

左ページ下：
イスラエル北部にあるフラ湖畔の沼地でパピルスを集めるキブツ・アミールのメンバーたち。

1909年、ロシアから移住してきたユダヤ系女性2名と男性10名が、ガリラヤ湖南岸のデガニアに最初のキブツを築いた。ほかの多くの土地と同様、シオニズム運動が買い取った土地だ。当時のシオニズム運動はまだ、「約束の土地」に選ばれた民を再び住まわせることを夢想している段階にあった。公正と友愛の理念に燃える社会主義のパイオニアたちは、砂漠に花を咲かせようとしていた。のみならず、新しい世界——人が人を搾取することのない理想の社会を築こうとしていたのである。この共産主義小集団においては、「我々」が「私」に優先し、生産手段を共有し、富は平等に分配され、私有財産や賃金格差といった概念は放棄しなければならない。重要な案件は集まって話し合うか、投票により決められ、子どもたちは小さいときから親元を離れ、みな一緒に養育される。食事も全員で用意して食べる。集落空間の設計そのものも、すべてを集団で行いやすいように配慮されている。共同体の公共建築物（行政機関、子どもの家、洗濯場、共同食堂など）は中心部に位置し、それを取り囲む形で住宅がある。キブツには、定住者または一時的に滞在する労働者のほかに、共産主義ユートピアの珍しくも優れた実験室へと世界中から集まってくるボランティアたちが住んでいる。

このような原則に従って運営されているキブツは数百存在するが、3分の2はイスラエル建国（1948年）のあとに設立されたものだ。しかし1970年代半ばまでには、大半のキブツが私企業を認める資本主義経済を受け入れた。黎明期とほぼ同じように機能している集団は非常に少ないが、原点を見失っていないキブツもまだ存在する。

ヨハネスブルグ
（南アフリカ共和国）

多くの映画の
撮影現場になった

ポンテシティー

変わりゆくユートピアの塔

人種隔離政策の栄光を称えた
54階建ての円柱の塔は今もなお、
南アフリカ共和国の希望と亀裂の象徴である。

1975年のヨハネスブルグ。近代建築の極みとして完成した未来派タワーは、ミニチュア都市の理想形だった。「ポンテシティーには何でもある」。開発業者は繰り返しそう唱えた。建築家ル・コルビジェの理想郷「輝く都市」の精神に倣い、建物内で自給自足の生活が送れるように設計されていた。商業施設、プール、運動用グランド、贅沢な集合住宅など、すべてが誰の手にも届くところにある。とはいえ、1つだけ例外があった。白人しか居住資格がなかったのである。ポンテシティーに住むことを許された黒人はビル従業員だけだった。しかも彼らは目に見えない存在でなければならなかった。プールの監視員は水着を着た白人女性に視線を向けてはいけない、という契約条項まであった。数カ月の間、この豪華なビルはアパルトヘイト（人種隔離政策）の旗手のような存在だった。

ところが、アパルトヘイト体制の衰退とともに、コンクリート製の「夢」にひび割れが起こる。住民はより安全な郊外の住宅地へと速やかに移っていった。巨大な塔に侵入してきたのは、移民の家族、アウトロー、麻薬密売人、そして売春婦たちだった。「コア」と呼ばれる中央空洞部分には5階の高さまでゴミが積み重ねられた。2007年、開発業者数社がポンテシティーを買い取ったとき、ここを再開発すれば、多人種文明という理想を土台に、南アフリカの異なるコミュニティーが共生できる場を築けるという期待が生まれた。だが、その1年後、リーマン・ショックによる世界金融危機が望みを打ち砕いた。

そして今、ポンテシティーを多人種社会にする夢は実現しつつある。労働者階級出身の家族のほか、流行に敏感な南アフリカ人たちが住み始めているからだ。彼らはこの界隈に再投資し、今なおアフリカ一高い高層マンションの眺めの良い物件を安く買って住んでいる。南アフリカ社会全体にとって明るい兆しだ。

貧困という宝

ジャワ島で成功した逆転の発想

町中のゴミとあばら家を活用して、都市と人々の暮らしを変える。
スラム街を再生させた２つの破天荒なアイデアを紹介する。

マラン
（インドネシア）

2018年、
インドネシアの貧困率は
9.8%まで下がった

上：
ガマル・アルビンサイドと彼のプロジェクトで救われた一家。

右ページ上：
ジョディパンの色とりどりに塗られたスラム街の光景。最初の一歩がうまくいったあと、河川の汚染除去作業も行われた。

右ページ下：
インドネシア全国で、ゴミ拾い人は1200万人いると推定される。

インドネシアの都市マラン。2010年代の終わり頃、医学生だったガマル・アルビンサイドは、3歳の少女が下痢で亡くなったことを知った。少女の両親は貧しく、娘を医者に診せることすらできなかった。人口の半分が1日2ドル以下で生活するこの国では、特に珍しくもない悲劇である。悲しいことだが、人々に何ができるだろう。都市部で最も貧しい層は、ゴミに埋め尽くされた不潔な場所に住んでいる。それこそクズのような生活だ。ところがガマル・アルビンサイドは、この貧しさを逆手に取った。廃棄物を財源に変えるプロジェクトを立ち上げたのである。リサイクル業者に数キロ分の廃棄物を売ると、低所得者はマイクロ医療保険（低価格・低コストで提供される保険）に加入し、最低限の医療措置を受けることができる仕組みだ。

ちょうど同じ頃、マランにある陰うつなスラム街ジョディパンでも、これに劣らぬユートピア的な取り組みが始まっていた。住民に形だけでも希望を持ってほしいという願いから、あばら家の外壁を鮮やかな色で塗り、壁画を描き、3Dアートで飾ったのである。数週間後、灰色の村は虹色に変身していた。色とりどりの楽し気な写真がソーシャルメディアを賑わすと、大勢の観光客がやって来て、町に収入をもたらした。社会面でも環境面でもモデルとなれるマラン発の取り組みは、インドネシアの50以上の町や村に追随されている。廃棄物やスラム街、最も貧しい層など、「社会のクズ」と見なされがちなものの中に、本当は高い価値があったのだ。1ルピーも賭ける人はいなかったであろう逆転の発想の勝利である。

ゲドロン城

城塞はただいま建築中

21世紀に、中世の道具を使って、中世の城を
建てることはできるだろうか。どうやら可能らしい。

ヨンヌ県
(フランス)

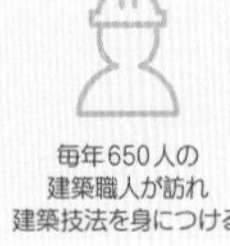

毎年650人の
建築職人が訪れ
建築技法を身につける

それは、最高に破天荒な夢という言葉がぴったりな実験考古学のプロジェクトである。フランス国王ルイ9世治世下の1228年（封建諸侯の反乱が起きた年）頃に活躍したという設定の、架空の城主。彼が欲しがったであろう城塞を、ブルゴーニュ地方の深い森に囲まれた古い石切り場に建ててしまおうという計画なのだ。現場の作業は常識の真逆の方向に進められる。つまり長い年月埋もれていたものを見つけるために土を掘り返すのとは反対に、当時の技法を用いて城を建てるのである。オーク材、鉄を含む砂岩、砂質土、粘土、さらに顔料に至るまで、建築材料はすべてゲドロンで採れるものを利用する。こうして1997年に始まったプロジェクトでは、石工、鍛造工、大工、その他の建設職人がタスク別に編成され、その仕事を見学に来た好奇心旺盛な訪問者たちを驚かせている。計測作業さえも「ピッジ」というメモリを打った棒、綱登り用ロープ、コンパス、三角定規など、13世紀に使用されていた道具で行う。というのも、この作業現場には教育的かつ歴史研究的な狙いがあるからだ。材料の産地、運送方法、技術、道具類について試行錯誤しながら、中世の建築技法を紹介していくことが目的だ。

最近では、城主の住まい、隠し扉、あるいは固定橋などを見学できるまでになった。それでも建築現場は毎年どんどん変化していく。塔の内側の壮麗なリブボールトのデザインははっきりと姿を現し、礼拝堂では円錐形の屋根組が最後の仕上げを施された。中世をこれほど身近に感じられる機会はいまだかつてなかったはずだ。

右ページ下：
ゲドロン城の最終完成予想図。

下：
2017年現在の進捗状況。
❶ 城主の住まい
❷ 礼拝堂の塔
❸ 主塔
❹ 角塔
❺ 小城塞
❻ 固定橋

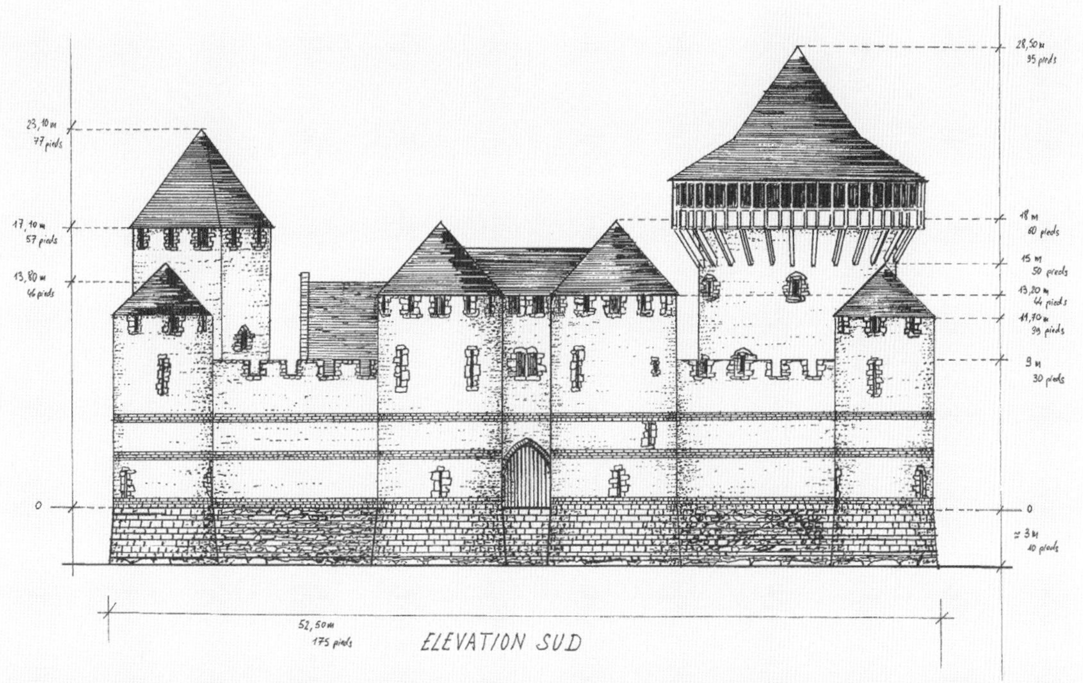

上：
礼拝堂の塔の構造用木材を組み立てているところ。

右：
ゲドロンの菜園。

右ページ：
城主の住まいの窓から差し込む光の筋。

ウッタル・
プラデーシュ州
（インド）

1631～1648年に建設。
そして永遠へ

タージ・マハル

不滅の愛の宮殿

17世紀のインドの最高権力者、イスラム王朝の皇帝シャー・ジャハーンは、寵妃へ永遠の愛を捧げた。

北インドで並ぶものなき権勢を誇るムガル王朝の後継者シャー・ジャハーンは、1628年に皇帝に即位した。その3年後、愛する妻ムムターズ・マハルは14人目の子の出産時に不慮の死を遂げる。その時代の年代記編者たちによれば、悲嘆のあまり皇帝の髪の毛は一夜にして真っ白になったという。皇帝は妃への愛を不滅にするため、地上に現れた天国さながらの、この世で最も美しい霊廟を彼女に捧げようと誓った。何とも大胆な思いつきである。不毛の地の乾ききった風景を、世界中の珍しい植物で彩られた贅沢な庭園へつくり替えようなどと、よくぞ考えたものだ。湿気の多い土が何トンものラジャスタン産の白大理石をしっかり支えられると、どうして思えたのだろう。2万人近くの人夫を22年間休まずに働かせ続けるのがどんなことか、皇帝は分かっていたのだろうか。そもそも、インドの伝統とイスラム芸術を混ぜ合わせたような、強さと繊細さを併せ持つモニュメントはどこから着想したのか?

しかしこの計画は、こうした技術的側面においてのみユートピア的だったわけではなかった。シャー・ジャハーンはほかにも多くの慣習を破ることになる。火葬を旨とするヒンドゥー教が盛んな土地に、ほかならぬイスラム皇帝が妃の遺体を安置する霊廟を建立したのだ。そして、女性が影のような存在でしかなかった時代に、インド・イスラム文明における最も美しい墓を妻に贈ったのである。結果として、シャー・ジャハーンの目的は達せられた。ムムターズ・マハルはあてにならない復活の日を待つどころか、その地に生き続けている。タージ・マハルの竣工からわずか数年後の1666年、皇帝は愛する妻の横に埋葬され、2人は永遠に結ばれた。その愛は人々に語り継がれることで、不滅のものとなった。

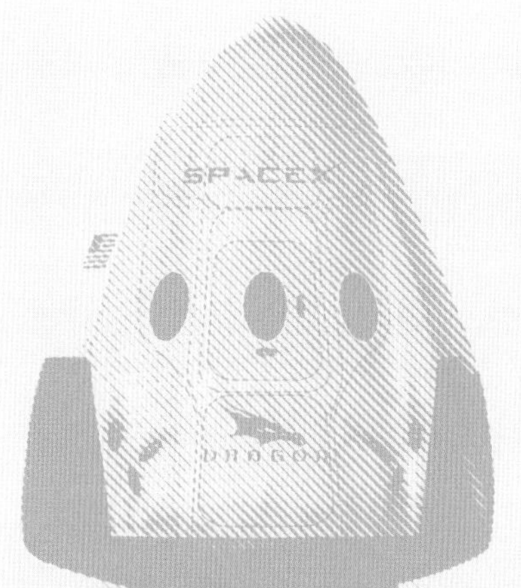

科学とフィクション

科学が進歩すればするほど、当然ながら大それた夢が芽生えてくるものだ。昔の人はせいぜい心臓移植くらいしか思いつかなかったが、今や、体の隅々まで端末に接続され、余裕で120歳まで生きられる超人的人類が登場する予感さえある。空に届かんばかりの超高層ビルは空の向こうまで伸びていきそうだし、火星への移住計画も動き出している。望遠鏡をのぞけば、将来人類が居住できるかもしれない太陽系外惑星が次々と見えてくる。とはいえ、発明というものは、無限に続くツリー構造をしており、しばしば無秩序で不安定な展開を見せるものだ。真のユートピアとはたぶん、できる限り多くの分野で、そして何よりもすべての人間に益する発明が起こる世界のことだろう。

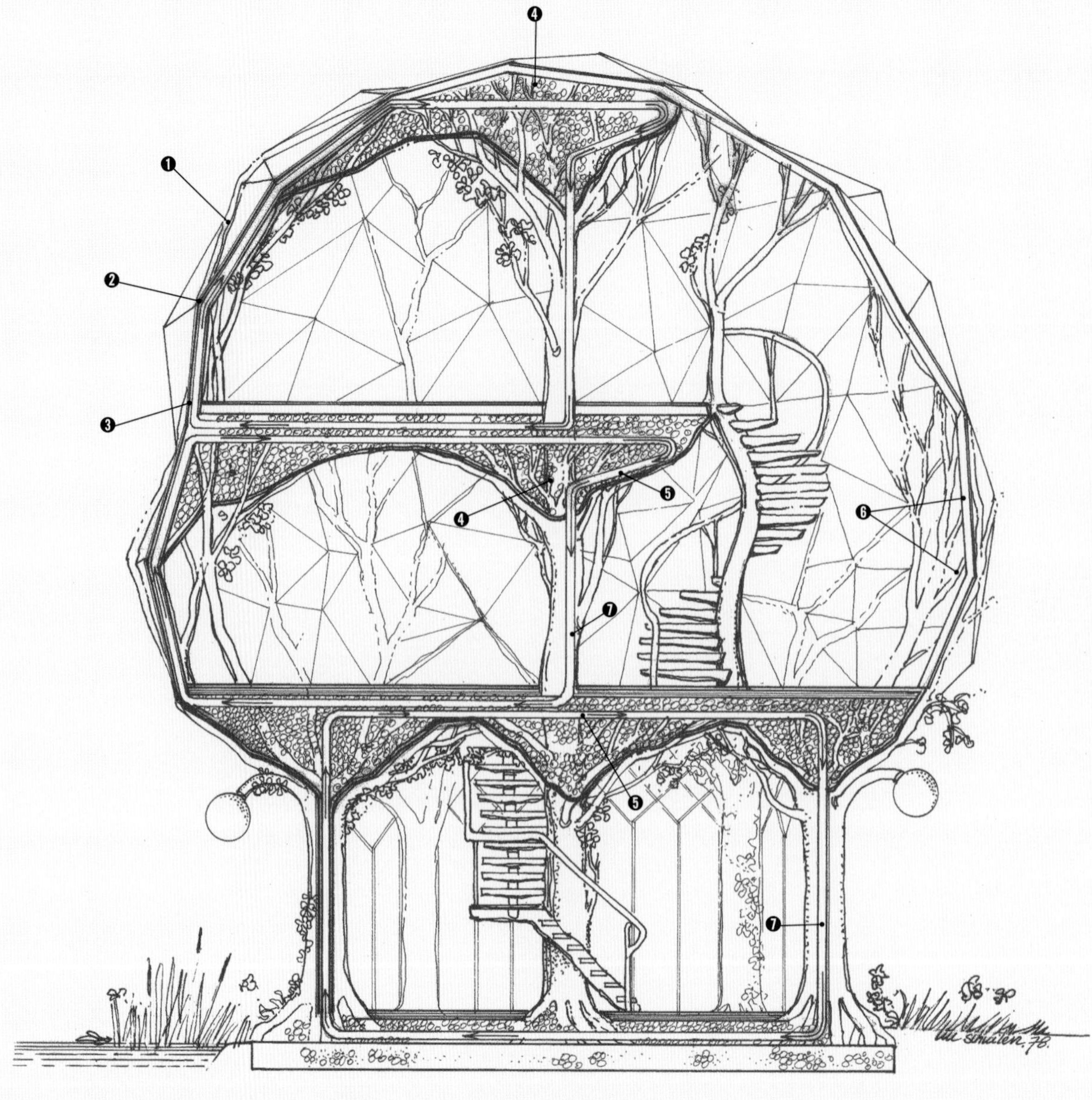

ツリーハウス

❶ヒートミラー。透明で断熱性のある非常に薄いプラスチックのフィルム（2枚重ねでグラスウール断熱材5cm分の効果）。
❷クラウドゲル。もう一層、透明なプラスチックのフィルムが重ねられている。設定温度を超えると不透明になり、光を屋外へ跳ね返す。
❸熱循環によって動く換気用薄板のついた吸収材。
❹塩化カルシウムが主原料のサーモクレート蓄熱部品には温度を保ちつつ熱を蓄積する機能がある。
❺フェロセメントでできた防水布。造船技術の応用。
❻断熱材でできた窓またはパネル。外側は鏡で、内側は木材繊維。
❼暖気導管

ツリーハウスシティー

木とともに生きるユートピア

自然の恵みが枯渇していくなか、ある植物都市プロジェクトが始動した。

森林または植物都市

古くはルネサンス期からの夢

上：
ベルギーの建築家でイラストレーターのリュック・スクイテンが描いた2100年のストラスブール。

左ページ：
リュック・スクイテンのツリーハウス構想。自動空気調節機能を備えた有機的構造となっている。

木の中で暮らすことを一度も夢見なかった人はいるだろうか。といっても、ナラの木の枝に建てられた粗末な小屋の話ではない。四季の変化を取り込みながら自給自足できる有機的な家のことだ。これが実現すれば、高層ビルのジャングルも植物都市に変身してしまうかもしれない。木を切り倒し、のこぎりで切り分けるのではなく、生きた木の構造をそのまま使い、昆虫の繭、蜘蛛の巣、またはトンボの羽に似せたバイオテキスタイルの膜で保護された家に住むのだ。外界から遮断された緑のオアシスを照らすのは、ツチボタルなどの生物発光。この自然と生物界に限りなく近い町を、考案者のリュック・スクイテンは「樹形都市」と名づけた。実現可能かどうかは二の次である。建築家であるスクイテンは、イマジネーションとイラストの力で、未来のための選択肢はほかにもあるというメッセージを伝えたいだけなのだから。

たとえばドバイのように、自然の資源を略奪しながら形成された人工的な都市がある一方で、自然に優しく生命の息遣いが感じられる都市が増えることをリュック・スクイテンは願っている。そこでは、人間の暮らしで発生する廃棄物すべてが生分解または再利用される工夫がなされている。このような「ツリーハウスシティー」では、各住民が長期的なエコシステムの一部として行動することが求められる。「メッシュシティー」の住民は歩道橋を使って移動するが、その下にある原野では自然本来の循環が続いている。「ユートピアとは、まだ試されていない可能性のことだ」と語るスクイテンは、自身も自給自足できるエコロジーハウスを建て、40年以上住んでいる。

ベルギーからは地球の反対側にあたる西ニューギニアのコロワイ民族は、大きなツリーハウス造りの達人だ。伝統的な住居は敬遠される傾向にあるものの、彼らはごく最近まで高い木の上に一族で住んでいた。

上：
コロワイ族の伝統的住居を再建したもの。

左：
リュック・スクイテンの作品に着想を得た、
オーストリアのザルツブルク空港。

海と大洋

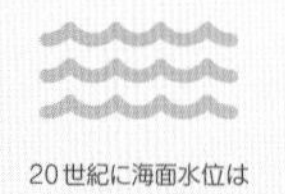

20世紀に海面水位は
17センチ上昇した

シテ・デ・メリアン

海に浮かぶユートピア

海上や深海で環境に配慮した生活を
送りたいと願う人はたくさんいる。

フランスの海中居住実験は1960年代に始まった。これは海洋学者でもあるジャック＝イブ・クストー海軍大佐の功績である。彼は「プレコンチナン計画」を通して、人間が深海で生きることは可能だと結論づけた。唯一の問題は、深海に十分な光が届かないことだった。米国の「シーラブ計画」やソ連の「イフチアンドル計画」など同様の実験がこれに続く。フランスの建築家ジャック・ルージュリは、1977年に初めて海底住居「ガラテ」を建設し、2009年には巨大なマンタ（オニイトマキエイ）の形をした海洋大学「シテ・デ・メリアン」という新プロジェクトで水面に帰ってきた。現在プロトタイプ作成中の「シーオービター」を構想したのもルージュリだ。「シーオービター」は正常な気圧を保つように設計された半潜水型で、高さ51メートルのうち31メートルが水面下にある。まさに海洋研究所の名にふさわしい構造だ。内部は、18名が生活しながら世界中の生物多様性を観察できるようになっている。

ベルギーの建築家バンサン・カルボーが設計した「リリパッド」もまた、海との共生を目指すプロジェクトである。想定される用途は、気候難民の収容や先進国の国土拡張だ。波にまかせて揺れ動くスイレンの花びらを模した不沈の海上都市は、面積が50万平方メートルもあり、5万人を収容できる。「リリパッド」は理想都市のコンセプトに基づいて、労働、商業、娯楽のゾーンに分けられ、自主管理のもと必要な食糧を自給しながら海上を漂う。『海底二万海里』のネモ船長がこれを見たら、まるで夢のようだと思うだろう。

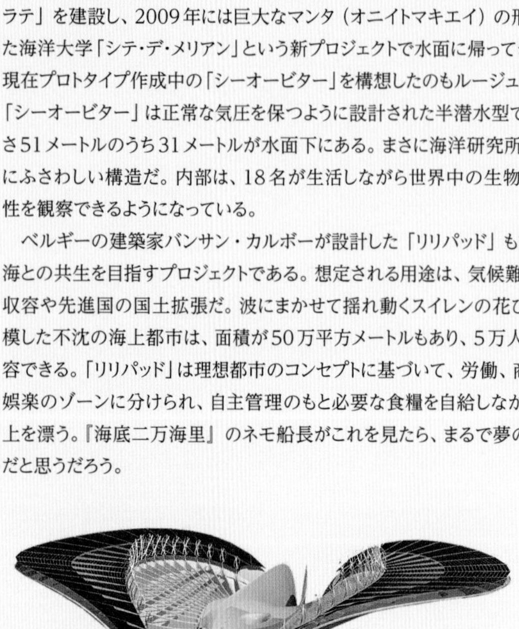

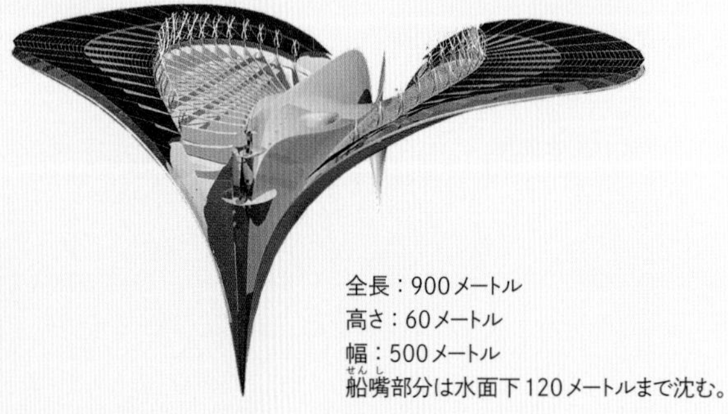

全長：900メートル
高さ：60メートル
幅：500メートル
船嘴（せんし）部分は水面下120メートルまで沈む。

内部にあるラグーン（浅いプール）
海洋調査船（90メートル以下）の受け入れと、海空および海底用の測量船や測量機の発進用。

廃棄物ゼロ計画
水産養殖場
無土壌栽培の温室

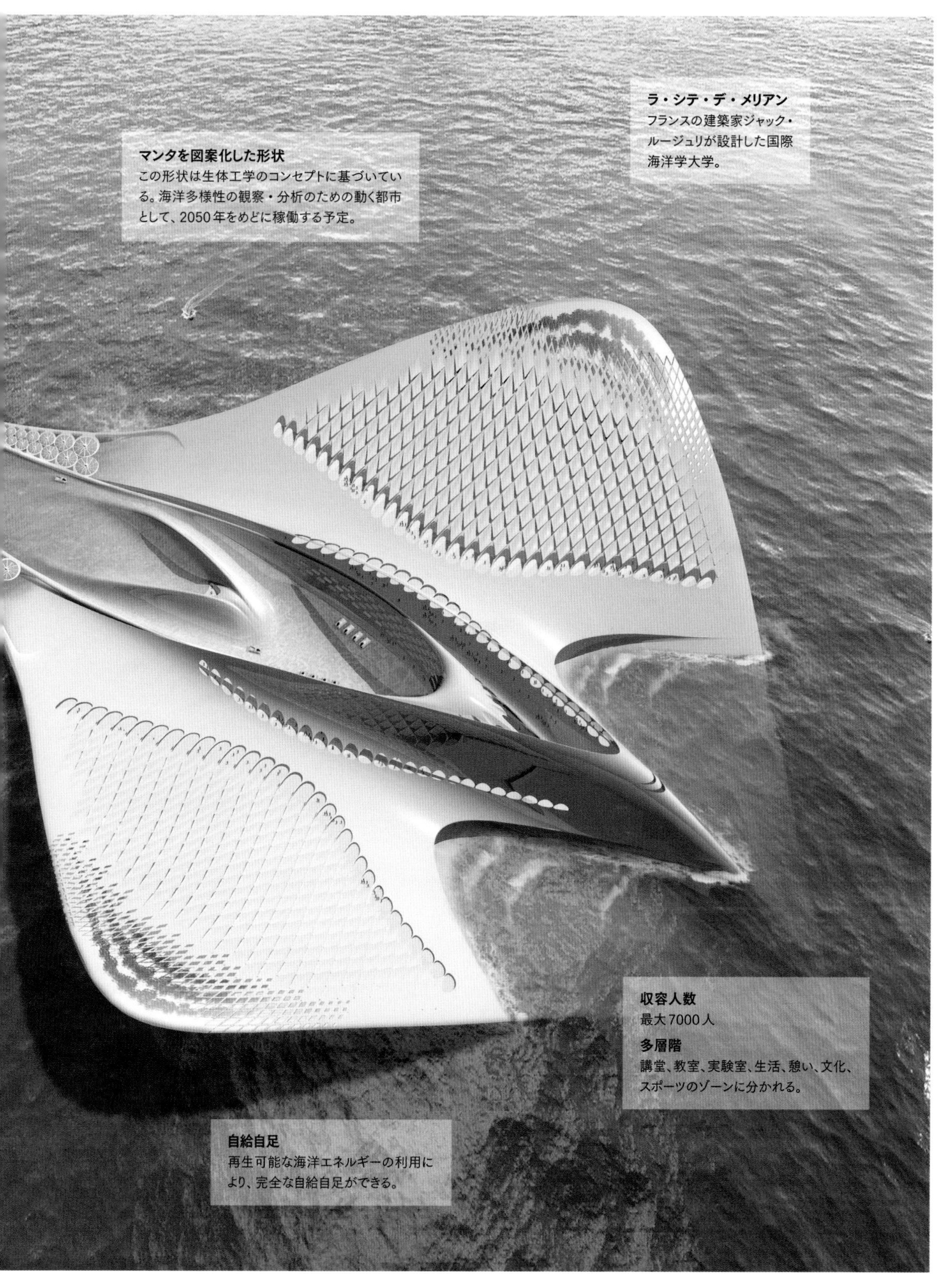
ラ・シテ・デ・メリアン
フランスの建築家ジャック・ルージュリが設計した国際海洋学大学。
マンタを図案化した形状
この形状は生体工学のコンセプトに基づいている。海洋多様性の観察・分析のための動く都市として、2050年をめどに稼働する予定。
収容人数
最大7000人
多層階
講堂、教室、実験室、生活、憩い、文化、スポーツのゾーンに分かれる。
自給自足
再生可能な海洋エネルギーの利用により、完全な自給自足ができる。

世界の空中都市

空に浮かぶユートピア

世界人口の増加に対応するには、都市を上へ上へと拡張することが急務だ。

地上から離れた
あらゆる場所で

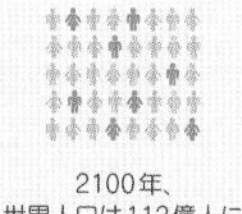

2100年、
世界人口は112億人に

上：
ロンドンをつくり替える空中都市プロジェクト。

左ページ：
黄金比に従い、ウインドファイヤーフライは建設地である台湾島と同じ比率、方角を持つタワーとなる。

184-185ページ：
イタリア、ミラノのエコロジー建築は、テラスが木々で覆われている。

「メガトロポリス計画」のためにツヴェタン・トシュコフが設計した「空中都市」は、まるで泥沼から顔を出す蓮の花のように、ロンドンやニューヨークの街路の上にそびえ立つ。都会の住民たちに本物の緑のオアシスを提供してくれそうだ。天空には静けさと、清らかな空気と、空中庭園があるだけだ。成層圏の都市型公園は、巨大な金属構造の上に建てられるか、またはそこから吊り下げられる格好で、地上のビル群の上空に位置し、すすけたメガロポリスの住民にしばしの癒やしを与えるだろう。

地上の楽園計画は、結局のところ夢物語に過ぎないと思われがちだが、都会生活の在り方は今すぐにでも見直す必要がある。地球の人口は2050年くらいまでに今より30億人増加し、世界人口の66%が都市部に住むことになるという。そのため、建築家や都市計画家は都市を垂直方向に拡張するプロジェクトに力を入れている。米国と中国の建築家集団「バーティカルシティー（垂直都市）」は、いくつかの都市を組み合わせてテトリスのように連結させ、ブロック状にまとめ、表面をソーラーシステムで覆うという構想を立てている。この400階建ての建造物は、増え続ける人口を受け入れ、適切な公共交通を開発することで二酸化炭素の排出量を減らし、耕作地の保全に貢献する。

台湾では、スペインの建築事務所（VOID_7）とイスラエルの建築事務所（p96d）が「ウインドファイヤーフライ（風のホタル）」という高さ387メートルのコンセプチュアルタワーを提案している。人体からヒントを得たこの建物は、風の影響を受けやすい「外骨格」と、強度と柔軟性を兼ね備えた「背骨」「腱」で構成され、中にはオフィスと博物館がある。より小規模で実現しやすいプロジェクトとしては、パリの屋根の上にテラスや展望台や空中庭園を設ける「ラトリエ・アンテルナショナル・デュ・グラン・パリ」が提案されている。

火星移住計画

イーロン・マスクの野望

2060年までには100万人が火星に移住できるようになる。
宇宙開発で知られる実業家にとって、それは決して無謀な計画ではないらしい。

火星

NASAの予測では
人類が火星に移住するのは
2033年以降

上：
スペースXがNASAのために開発した「ドラゴン」。人間と機材を火星へ輸送する宇宙船だ。

右ページ：
NASAの「マーズ・アイス・ホーム（火星の氷の家）計画」では、氷で作った壁が火星探査飛行士を宇宙線から守る。

人類が火星を植民地化する日は来るのだろうか。かつてはSF小説の中のエピソードに過ぎなかった火星移住が、ますます現実味を帯びてきている。バイキング探査機が1976年にこの赤い惑星を探索して以来、科学界は「火星は住める場所ではない」と確信していた。しかし、数々の悪条件は克服できないわけでもないようだ。実際、火星の大気圏を厚くして人間が住める気温に調節する技術はすでにある。課題は、もちろん資金だ。何しろ火星へ送り出す費用は1キログラム当たりおよそ50万ユーロかかる。そうした諸事情も、民間企業の参入によって一変するかもしれない。たとえばスペースXは、20年以内に民間人が1人約20万ドルで地球と火星を往復できるようになると見込んでいる。

ところで、人間が火星へ移住したいと願う、真の目的は何なのだろう。地球が居住不可能な状態になった場合や、人口が過剰になった場合に備えて、避難用の惑星が必要だから？ 地球を飛び出し、7000万キロ以上離れた星でゼロから新しいユートピアを築くため？ それとも、可能性の限界を超え続けるという究極の挑戦に過ぎないのだろうか。奇人として知られるスペースXの経営者、イーロン・マスクに迷いはない。「本当に火星に行ってみたいんだ。地球で生まれて火星で死ぬのはかっこいいと思う。できれば火星にちゃんと着陸してからね」

NASA

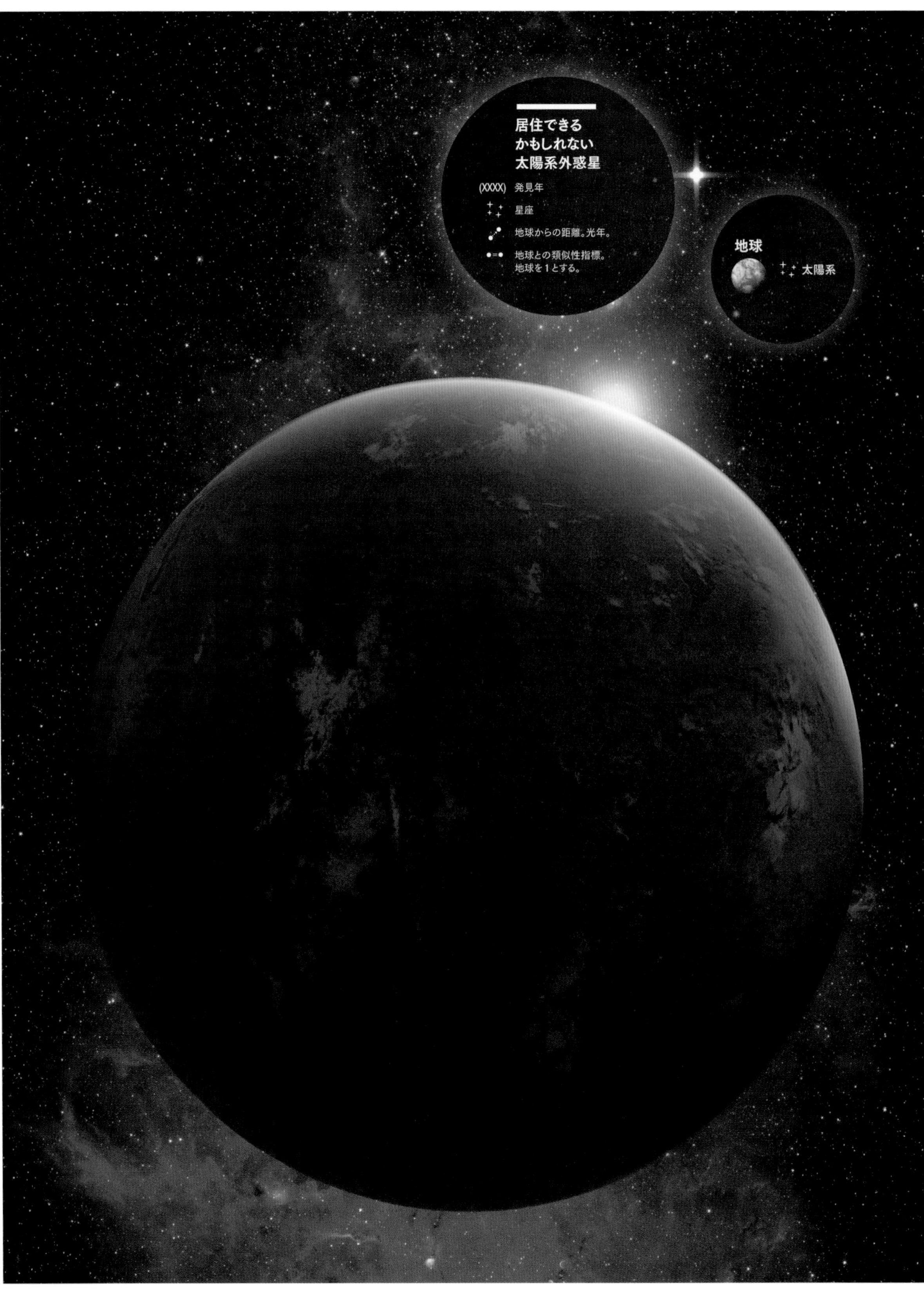
居住できる
かもしれない
太陽系外惑星
(XXXX) 発見年
星座
地球からの距離。光年。
地球との類似性指標。
地球を1とする。
地球
太陽系

Sources : Exoplanet.eu ; Planetary Habitability Laboratory ; Nasa Zxoplanet Archive

居住可能な惑星

ETはどこにいる?

天の川銀河には地球に似た環境の惑星が無数にある。
生命体が住める星が1つもないとは考えにくい。

上：
科学者は3500以上の太陽系外惑星を特定している。なかには、ケプラー442bのように地球とよく似た特徴を備えた惑星もある。

左ページ：
大きさが地球の1.5倍あるケプラー62fは居住可能な惑星かもしれない。これはNASAによるモデル。

広い宇宙で生命体がいる星は地球だけ。そんなことがあり得るだろうか。この問いは人類の歴史と同じくらい古くからあるが、最近、地球とかなり似ていて生命体が生存できそうな太陽系外惑星が発見され、議論が再燃している。長い間、神話や芸術の領域に追いやられていた宇宙人探しは、20世紀半ば以降、科学と技術の発達のおかげで、より合理的に進むようになった。生物学者は、ほかの惑星上でも生命が誕生し得るという証拠を提示している。電波天文学者たちは、はるか遠くに存在しているかもしれない文明の発するサインをとらえる技術を手に入れた。とはいえ、今のところ宇宙に地球外生命体が存在する形跡は見つかっていない。1960年代初頭に米国の「SETI（地球外知的生命体探査）計画」が開始されたものの、今日に至るまでただの1つもシグナルを受け取れていない。1974年の「アレシボ・メッセージ」をはじめ、宇宙空間へ発信された多くのメッセージに対する返答もまったくない（ただしアレシボが目的を達成するには2万年以上かかるとされている）。こうした状況を茶化すような声もある。つまり「電波的沈黙」は推測される文明が最高度の知性を持っている決定的な証しである、と。そもそも地球人などと交流する気がないから返信してこない、というわけだ。

真面目な話、反応がないからといって、地球外文明の存在が否定されるわけでは決してない。宇宙には、私たちの文明とはまったく異なる文明があって、地球との接触を望まないか、あるいは高すぎるテクノロジーを持つがゆえに私たちにそのシグナルが解読できないだけなのかもしれない。そこには無数の可能性がある。地球外生命体の探求はいまだ夢物語であり、今後も相当長い間、そうあり続けるだろう。

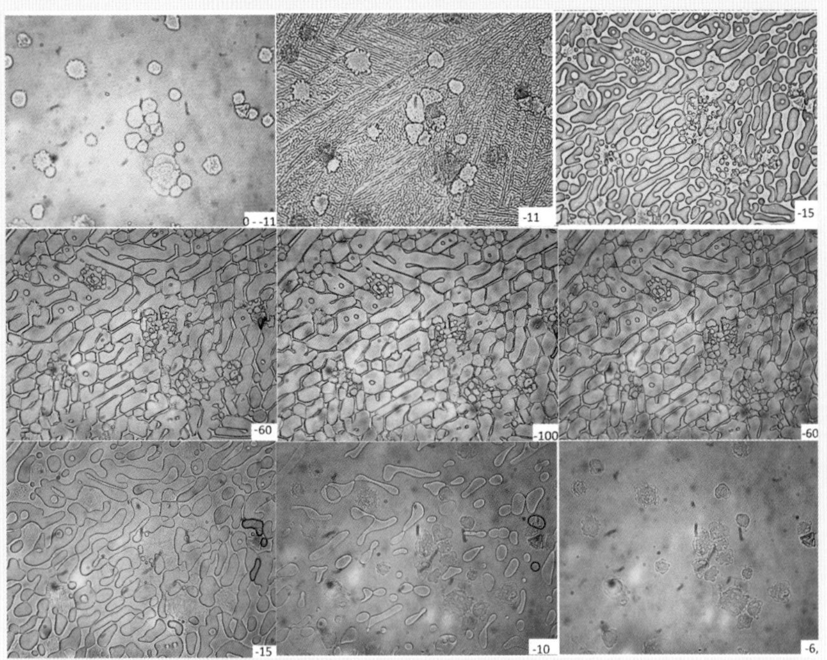

人体冷凍保存

1000年後に起こしてくれ

より良い時代によみがえることを願って、
自分の体を冷凍しようとする人々がいる。

フェニックス(米国)、
モスクワ(ロシア)

クライオニクスの温度は
マイナス196℃

上：
細胞の冷凍保存と解凍のプロセス

右ページ：
最大で全身4体と脳6体を収容できる
液体窒素のタンク

『冷凍人間』というフランスのコメディ映画をご存知だろうか。北極の氷の中で冷凍されていた人間が蘇生して1960年代のパリに連れ戻され、この厄介な祖先にルイ・ド・フュネス演じる主人公が振り回される話だ。このように肉体を凍結して冬眠させる処置を「クライオニクス（人体冷凍保存）」というが、昨今ではフィクションの中の話ではなくなってきている。

クライオニクスを望む人はたしかに存在する。臨終の間際に米国やロシアの専門民間企業へ肉体を委ね、液体窒素で凍結してもらって棺に収まり、より良い未来が来る日まで待つという。これは組織温度をマイナス196℃に保つことですべての生体活動を停止させ細胞死を防ぐ技術で、精液や卵子の凍結保存で実用化されている。しかし、組織を何世紀も保存することはできても、遺体を蘇生させ、重要臓器を再始動させる方法はまだ確立していない。肉体の保存は諦め、脳だけのガラス化（生物時間の進行を停止させること）を選択する人もいて、「ニューロ（神経保存）」と呼ばれている。いつの日か科学の力によって、保存された脳をロボットの体でよみがえらせるか、株細胞から肉体が再現されることを期待しているのだ。

つまり、クライオニクスは今のところ、完全に未来の先端技術に賭けた形で成立しているのである。その結果いかんで、人類は時空を超えて生きられるようになるかもしれないし、難病の治療が可能になった未来に蘇生するようにできるかもしれないのだ。

ALCOR
LIFE EXTENSION
FOUNDATION
SINCE 1972
www.alcor.org

シリコンバレー
（米国）

「サイボーグ」という言葉は
1960年代に登場した

人間拡張

機械で強化した超人間を夢見て

トランスヒューマニストの夢は、半分人間で半分機械のような完璧な存在を創造すること。

高度に発達した先進技術のおかげで、医学界は半世紀以上前から人間の身体能力の補正どころか向上さえ試みてきた。1960年代には世界初のペースメーカー、1980年代にはインスリンポンプや筋刺激治療が登場した。そして今、蝸牛インプラントという聴力回復の技術が発明され、目の見えない人に視覚をもたらす人工眼の開発も間近であるらしい。医学は常に、機能不全の体がどのような状態になっているのかを理解し、補正し、回復させる方法を提供することに専心してきたが、近年はまた別の方向性も見いだされている。それは超高性能マシンとしての肉体をつくることだ。

こうして生まれたトランスヒューマニズム（超人間主義）が夢見るのは、体にあらゆる種類のチップ、バーコード、インプラントを埋め込み、身体的・知的な能力を拡張した「超人間」だ。未来の超人間は暗闇の中でも物が見え、完璧な記憶力を持ち、疲労も痛みも感じないという。計画は予想どおりに進展しており、仮想プラットフォーム上に自分の脳をダウンロードできる発明や、人工子宮を開発して生殖の法則を変えるなど、さらに先を行くアイデアも生まれている。こうした技術的ユートピアは、新しい人類を生み出すのかもしれない。残る問題は、彼らが目指す「可能性に満ちた驚異の世界」が出現するとき、超人間と人間の間に危険な対立を生じさせないための対策が見つかるかどうかだ。

治療される人間から……
障害や欠損を緩和するための措置

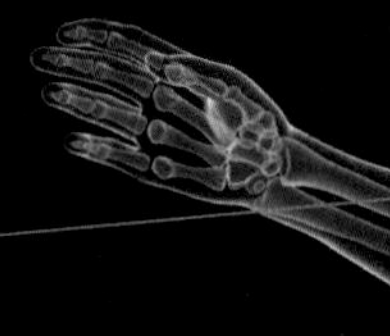

蝸牛インプラント
音を受信し内耳で電気信号に変換

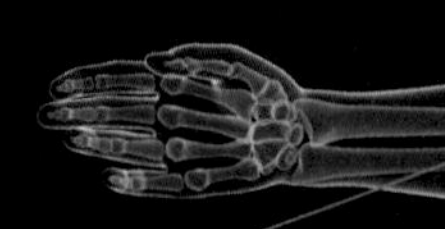

バイオニックアーム
傷ついた腕の神経終末と胸部とを結ぶ電極の指令によって動く神経プロテーゼ（人工軟骨）

心臓ペースメーカー
皮下に埋め込まれ微小電極により心臓につながれている

神経刺激装置
尿失禁の抑制、肥満の解消などに役立つペースメーカー

電気刺激
直立姿勢と歩行を助けるインプラント

義脚
マイクロプロセッサーで制御する膝関節

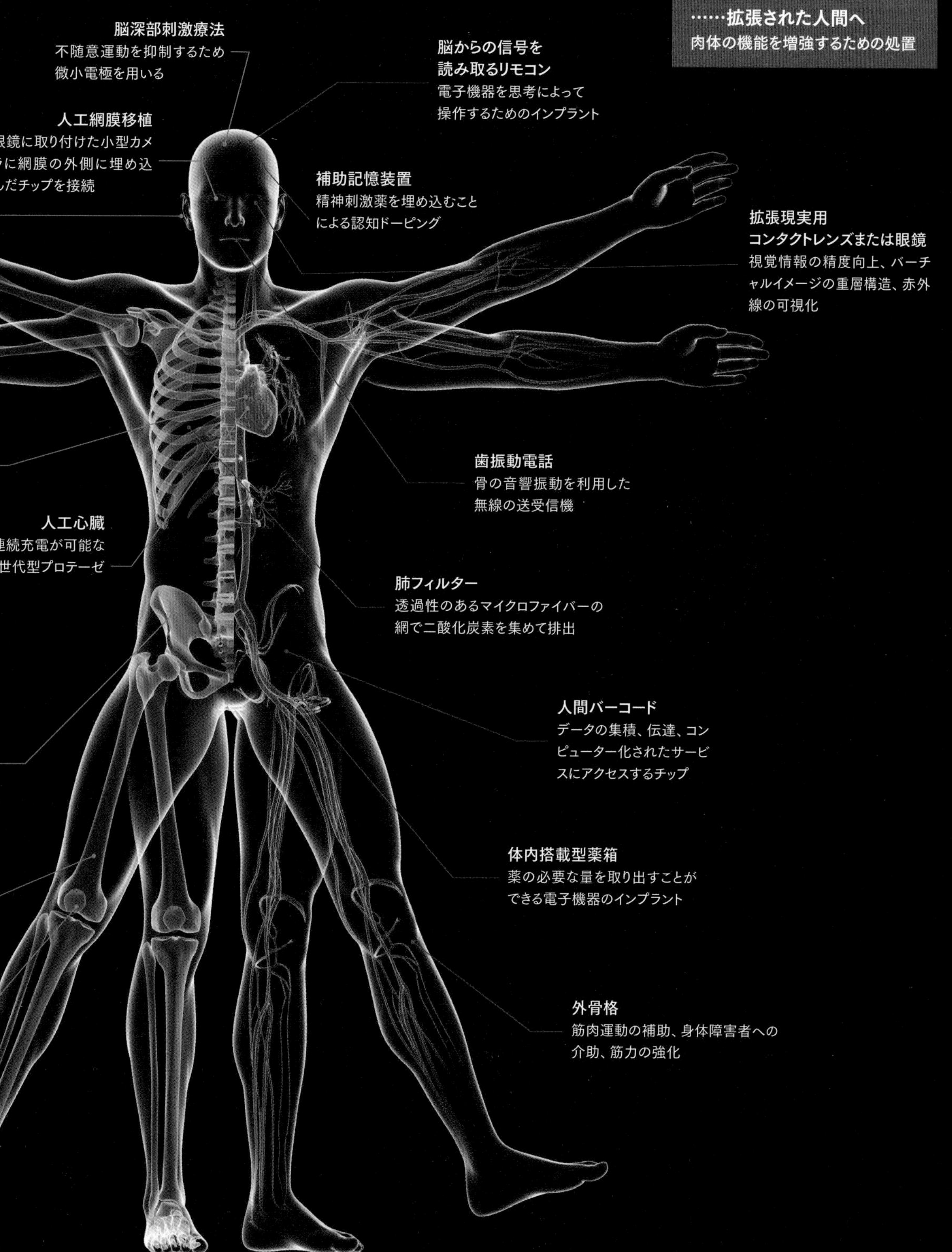

……拡張された人間へ
肉体の機能を増強するための処置
脳深部刺激療法
不随意運動を抑制するため
微小電極を用いる
脳からの信号を
読み取るリモコン
電子機器を思考によって
操作するためのインプラント
人工網膜移植
眼鏡に取り付けた小型カメラに網膜の外側に埋め込んだチップを接続
補助記憶装置
精神刺激薬を埋め込むことによる認知ドーピング
拡張現実用
コンタクトレンズまたは眼鏡
視覚情報の精度向上、バーチャルイメージの重層構造、赤外線の可視化
歯振動電話
骨の音響振動を利用した
無線の送受信機
人工心臓
連続充電が可能な
次世代型プロテーゼ
肺フィルター
透過性のあるマイクロファイバーの
網で二酸化炭素を集めて排出
人間バーコード
データの集積、伝達、コンピューター化されたサービスにアクセスするチップ
体内搭載型薬箱
薬の必要な量を取り出すことが
できる電子機器のインプラント
外骨格
筋肉運動の補助、身体障害者への
介助、筋力の強化

死との決別

それは本当にユートピアなのか

先端技術の最前線で、不老不死はもはや絵空事ではないらしい。

カリフォルニア
（米国）

平均寿命は
1960年以降14年延びた

上：
ルーカス・クラナッハ（父）による『若返りの泉』（1546年）

左ページ：
仏教の六道を示す六道輪廻図

1513年、探検家のポンセ・デ・レオンは若返りの泉を探求する旅に出た。17世紀、殺害した人間の血の風呂に浸かり若さを取り戻そうとしたエリザベート・バートリは、「血の伯爵夫人」の異名を取った。1960年代初頭以降、永遠の命を手に入れることを夢見た約200人が、自分の遺体をクライオニクス処置で保存させている。そして現在、「死を克服する」という究極のユートピアに向けて活動しているのが、シリコンバレーにある生物工学系企業群だ。グーグル社がカリフォルニア・ライフ・カンパニー社、通称「カリコ」に数10億ドルを注入したことからも分かるように、彼らの強みは潤沢な資金であり、その野望はとどまることを知らない。

これらの企業は、まず病気の撲滅に着手した。がん細胞を破壊できるナノロボットの開発や、遺伝子工学を応用した変性疾患の発病前診断に取り組んでいる。うまくいけば、未来の人類は健康なまま120歳まで生きられるかもしれない。次なるアプローチは、細胞の劣化を抑制して不老不死を目指すことだ。その鍵を握るのは、テロメラーゼという染色体の再生を助ける酵素である。コンピューターコードの制御に慣れた技術系ユートピア派の工学者たちは、まさしくDNAを制御しようともくろんでいるのだ。

この遺伝子組み換え人間という途方もない計画に対し、警鐘を鳴らす研究者もいる。不死を実現することは、人道に対する罪となり得るからだ。もしかすると、ここは仏教の世界観に頼ったほうがいいのではないか。

人は死ぬと大きな転生の輪の中で次の生物に生まれ変わり、いつか涅槃（ねはん）に到達する。これこそ死と決別するための、よりシンプルな方法ではないか。

日本、米国

最初の空飛ぶ車は
1940年に
ジェス・ディクソンが製作した

空飛ぶ自動車
もはやSFではない

陸上飛行機や陸上ヘリコプター、コックピット付きドローン……
未来のシンボルとも呼ぶべき空飛ぶ自動車は今、実際に離陸しようとしている。

空飛ぶ自動車が出てこないSF映画や小説なんて想像できるだろうか。空に浮かび、渋滞から抜け出し、ビルの間を縫うように飛んでいくマシンは、自由を愛する者なら誰もが夢見る乗り物だ。実際、世界中で10ほどのプロジェクトが、プロトタイプまたは試験運転の段階に入っている。日本では、ドローン技術に想を得たローター付きの「空飛ぶクルマ」こと「SkyDrive」の開発が進んでいる。米国の技術者も後れを取ってはいない。小型陸空両用飛行機「トランジション」はすでにFAA（連邦航空局）の認可を得て、実用間近と見られる。商品化が待たれるオランダの「パル・V」は、半分バイク半分ヘリコプターのようなマシンだ。翼のついた長いボディを持つ2人乗りの三輪自動車で、連続動作能力は500キロメートル、最高速度は時速180キロメートルとなる。一方、スロバキア製の「エアロモービル」は米国やオランダの競合車とは違い、垂直離陸が可能だ。また、英国アストンマーティン社の優美で高級感あふれる「ボランテ・ビジョン・コンセプト」は、自動運転機能とハイブリッドエンジンを備えている。あとはジェームズ・ボンドが乗り込むのを待つだけだ。

そう遠くない未来に空飛ぶ自動車が実用化されるとしたら、それは自動運転車になるだろう。陸上では、年間の交通事故死者数が世界全体で約135万人にのぼる。さらに飛行機の操縦の難しさを考え合わせると、自動制御運転が最適解だと考えられる。人類はまだ、SFの世界に生きる準備が整っていないのだ。

左：
自動車に翼？ それは昨日今日に始まった夢ではない。

下：
オランダのパル - V。空高く昇る日は遠くない。

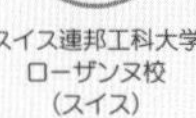

スイス連邦工科大学
ローザンヌ校
（スイス）

夜間飛行できる
初のソーラー飛行機

ソーラーインパルス

太陽光で飛び続ける飛行機

ただの輸送機ではない。
ソーラーインパルスはクリーンエネルギーの
驚くべき可能性を実証するために
設計された飛行機だ。

環境を少しも汚染せず、騒音もなく、燃料を一滴も使わずに、太陽電池だけで昼夜飛行できる飛行機。そんなものがあり得るだろうか。2016年7月、17の行程を経て世界一周を達成した「ソーラーインパルス2」は、まさにその偉業に挑戦したのだった。ボーイング747と同じサイズの翼を持つカーボンファイバー製飛行機の重量は2300キログラム。つまり車1台ほどの重さしかない。リチウムバッテリーの重さは600キログラムで、表面積270平方メートルの太陽電池によって毎日充電を行う。技術的快挙を成し遂げた壮麗な飛行機ではあるが、操縦士1人しか乗れず、巡航速度は平均時速70キロにしかならない。だが、そんなことは問題ではない。なぜなら企画者で操縦士のベルトラン・ピカールとアンドレ・ボルシュベルクにとって、ソーラーインパルスの使命は、何よりもクリーンテクノロジーの可能性を証明することにあったのだから。ピカールは言う。「ソーラーインパルスは旅客機ではなく、メッセージを伝える飛行機として考案したのです。燃料を使わず、昼夜問わず自家発電で無限に飛ぶ飛行機は、同様のテクノロジーを使えば気候変動や環境汚染の問題に取り組めるかもしれないという勇気をもたらすに違いありません」。理想的な輸送手段がついに手の届くものとなり、ジェット燃料による公害や空港近くの騒音問題のない世界が実現する——ソーラーインパルスは、そんな期待を抱かせる、未来からの使者なのである。藩基文（バン・ギムン）前国連事務総長がこう宣言している。「持続可能な世界を目指す旅は、今始まったばかりなのです」

ラブロボット

「危険な関係」？それとも「感情教育」？

私たちの欲求をすべてかなえてくれる人造パートナーは、人間社会を一変させてしまうのだろうか？

人間がいるすべての場所で

アラン・チューリングは1950年代から機械が「思考」できるか自問していた

上：
彫刻家ピグマリオンと彼の作品ガラテアの愛の物語を描いたジャン=レオン・ジェロームの絵画。ガラテアは女神アフロディーテによって生命を与えられた。

左ページ：
自分のために作った「恋人ロボット」と戯れる女性の像。ルドルフォ・ブカチオによる鋼とブロンズの彫刻。

シリコーン樹脂製で関節のある、人間そっくりな、そしてこの上なくセクシーな日本のラブドールでさえ、どこか不穏さをはらんでいる。人工知能を搭載した初のセックス用ロボットは、思ったより早く私たちの寝室へやって来そうだ。「ラブボット」または「セックスボット」は、単に端末と接続された進化型セックス玩具ではない。にっこりしたり、冗談を言ったり、古典作品の一節を引用したりする機種もある。そしてもちろん、もっと難しいことも——つまり、人間の要望に応じて、しかも失敗することなく性行為ができるのだ。ロボット工学の歴史が始まったときから存在するこの妄想が実現するとして、そこには当然いくつかの疑問も生じる。こうしたロボットは、性教育のツールとなるのか？ 性倒錯を加速させはしないか？ 孤独の慰めになるだろうか？ 答えは誰にも分からない。

本格的な研究はまだなされていないが、他者の欲動を満たすためだけに作られ、たやすく言いなりになる扇情的なロボットには、人間性を失わせる危険な性質が潜んでいるとして、困惑を隠せない人たちもいる。人間が生身のパートナーに対しても、同じ従順さを求めるようになりはしないだろうか。その反面、愛する人、愛してくれる人がいない者にとっては福音だと主張する人たちもいる。ただ、最終的にこれらのセックスボットが、批判も拒絶もしない忠実なパートナー、心の友へと徐々に変貌していったらどうだろう？

遠くない未来、どのような展開になろうとも、この潮流を止めることは難しいだろう。私たちは、すべての人間には身体と人格があるけれど、身体と人格を持つのは人間だけではない、というわけの分からない世界へと駆け足で向かっているのだ。

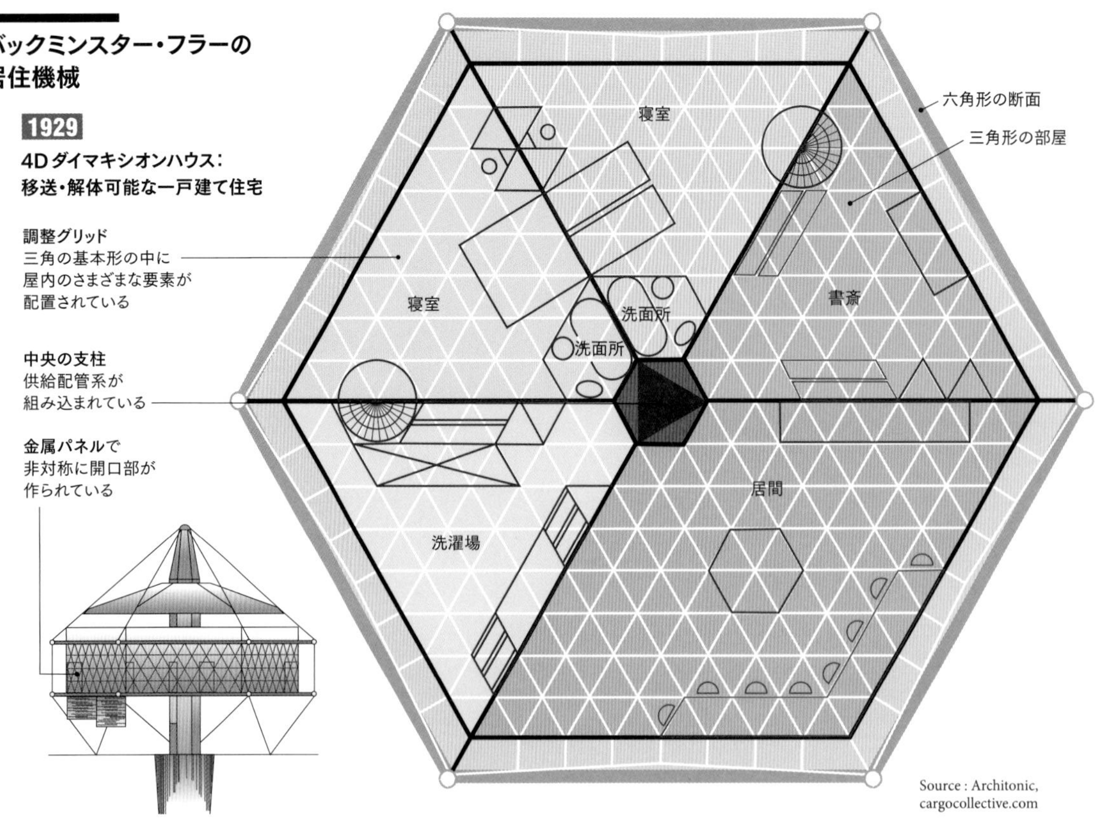

ダイマキシオン

フラーの動く家

実用化されたことはないにもかかわらず、
フラーの未来派住宅は今なお高効率設計の基本である。

すべての人に良質な生活を提供したいと願う反画一主義の思想家、リチャード・バックミンスター・フラーは一連の奇妙な居住機械を考案した。「ダイマキシオン」というシリーズ名は、プロジェクトの理念である「ダイナミック（動的）」「マキシマム（最大）」「テンション（張力）」の3語を組み合わせたものだ。居住機械は、できるだけ少ないエネルギーで、より多くの効果を生み出すように設計されていた。

1927年に発表された「4Dダイマキシオンハウス」のプロトタイプには、当時のあらゆる新技術が凝縮されている。壁はガラス、床はゴムでできたこの家は、「飛行機型の車」を収容するガレージの上にケーブルで吊り下げられている。1929年の世界恐慌を経験したのち、フラーは理念の方向転換をした。住宅難の渦中にある人々へ早急に住まいを提

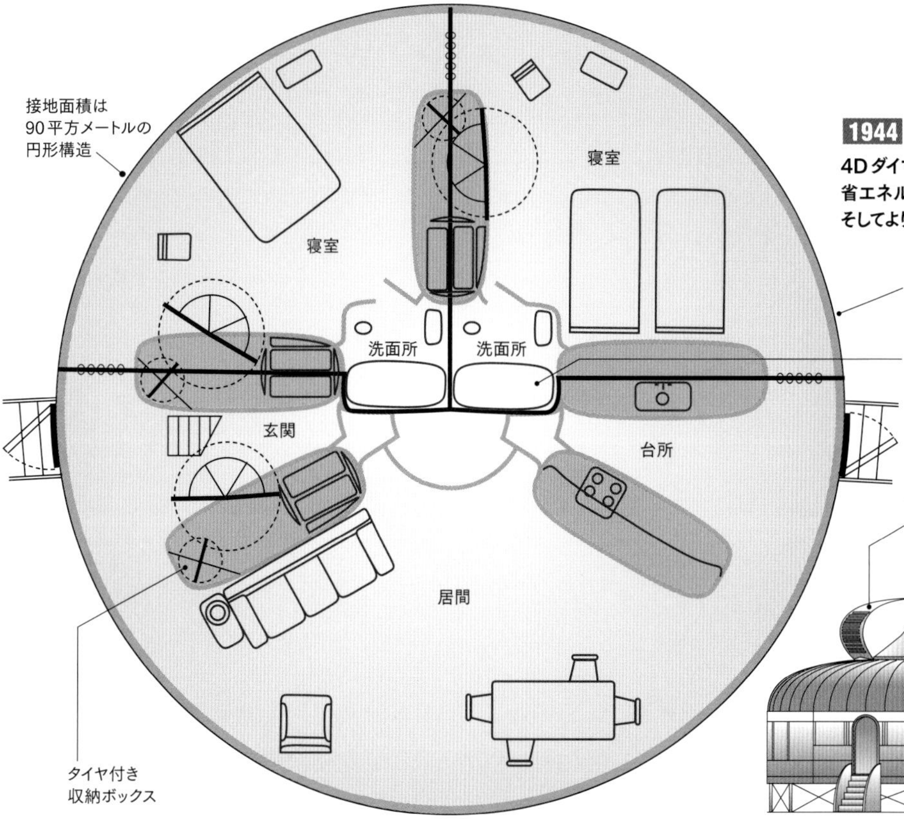

1944

**4Dダイマキシオン居住機械：
省エネルギー、高機能、
そしてより安価なバージョン**

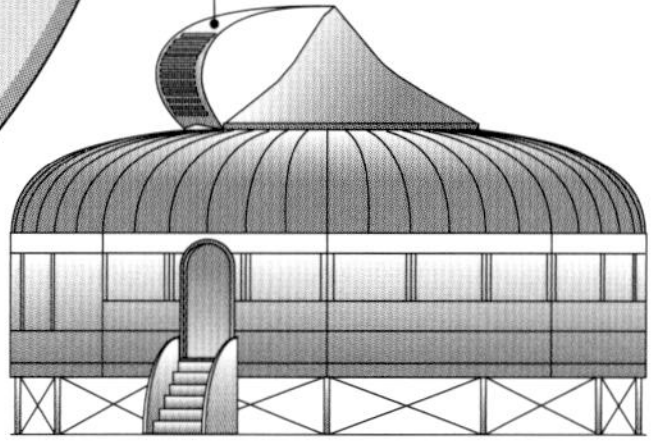

接地面積は
90平方メートルの
円形構造

寝室

寝室

洗面所

洗面所

玄関

台所

居間

メタル製の外壁は
アルミニウムで覆われている

シャワーは節水型

家の上部にある円形構造は
中央支柱の周囲で回転し、
自然の風を取り入れて
空気を冷却したり換気したりする。

タイヤ付き
収納ボックス

ニューヨーク
（米国）

20世紀の
レオナルド・ダ・ヴィンチと
称される

供するため、量産可能、軽量、低価格、組み立てが簡単、そしてトラックで輸送できる家を構想したのである。

残念ながら、この計画は行政当局に採用されず、1944年になってようやく、アルミで覆われた金属製の超近代的なモデル「4Dダイマキシオン・ドゥエリング・マシーン（居住機械）」を発表することができた。第二次世界大戦時の航空機製造工場で製作されることになっていた、軽量で移送が簡単なこの「居住機械」は、定住地を持たない一家のための動く住居として設計されていた。

創造性に富み、極めて独特な精神の持ち主だったフラーはまた、ジオデシックドーム（正多面体からなるドーム）の開発者でもあった。現在、ジオデシックドームは数多くの博覧会、ショッピングセンター、集合住宅などに採用されている。

上：
4Dダイマキシオンハウスの室内。デトロイトのヘンリー・フォード博物館で復元されたもの。

右：
1941年にカンザスシティーに建てられた実際の4Dダイマキシオンハウス。

右ページ：
フラーが発明したジオデシックドームに倣って建設された、モントリオール・バイオスフィア。

ユートピアの牽引役

この章で紹介する人物はみな、理想の探求の具現者として、いつまでも私たちに影響を与え続けるだろう。抑圧、不公正、残酷さ、不寛容を拒絶し、自由、友愛、連帯、理解を肯定した彼らは、古今東西のユートピアの担い手として、決して消えることのない炎を掲げている。この炎は、人類に対する信頼の炎であり、たとえ人類が欠点だらけの存在であろうとも決して揺らぐことはない。彼らは言う。「人を信じるということは、間違いだと言われるときもある。しかし、最終的にそれは正しいことなのだ」と。

スパルタクス

奴隷の鎖を引きちぎった男

反乱軍を率いた1人の奴隷が、
時の最強権力だったローマ帝国を震撼させる存在となった。

ローマ帝国

ローマ帝国に対する
最大の奴隷反乱の指導者

上：
フランスの画家ジャン=レオン・ジェロームによる、現実とは大きくかけ離れた絵画。しかし映画『クオ・ヴァディス』や『グラディエーター』の監督はこの1872年の絵に着想を得たという。

右ページ：
スパルタクスが戦っていたとされるカプアの円形闘技場の遺跡。ローマ帝国ではコロセウムに次いで大きな闘技場だ。

紀元前73年、トラキアの遊牧民族出身で、共和国軍を脱走して捕虜になったスパルタクスは、イタリア南部の都市カプアにある剣闘士養成所に売り飛ばされた。養成所の教師たちは彼をサーカスの花形として売り出そうとしたが、スパルタクス自身はまったく別の運命をたどろうとしていた。60人ほどの仲間とともに養成所を逃げ出して、ベスビオ山に立て籠もったのだ。やがて、そこに何千という奴隷が加わる。彼らはローマ軍に敗戦して捕虜にされたばかりの兵士たちだった。この反乱軍は2年近くもの間、強大なローマ軍への抵抗を続け、不可能を可能に変えた。スパルタクスと仲間たちは、もはや脱走兵ではなく、民主的で自由な新しい共同体都市の同志であり、圧政下にあるすべての人を解放するために戦う軍隊の兵士であった。

最初のうちの華々しい勝利にもかかわらず、スパルタクスは自分が起こした反乱が失敗する運命にあることを悟っていた。反逆奴隷としての彼の望みはただ1つ、アルプスを越えてローマ帝国を脱出し、仲間たちを故国に帰すことだった。しかし紀元前71年3月、スパルタクスは戦死し、反乱軍は制圧された。生き残った6千人の同志は磔刑（たっけい）に処せられ、ローマからカプアに至る道の全長に磔（はりつけ）の杭が並んだという。反乱は失敗に終わったけれど、不可能に挑んだ剣闘士の姿は、圧政に虐げられながら抵抗した者の象徴として歴史に刻まれた。それからほぼ2000年後、ドイツのマルクス・レーニン主義者であるローザ・ルクセンブルクとカール・リープクネヒトは自分たちの運動組織を「スパルタクス」と名づけた。これは不吉なネーミングだった。世界を変えようというスパルタクスと同じ野望を抱くプロレタリアートたちが結成した「スパルタクス団」は、奴隷剣闘士の軍隊と同じ運命をたどることになった。

Was will Spartakus?

Neuer Militarismus

Junkertum

Kapitalismus

·K·P·D·
(Spartakusbund)

Verlag der Kommunistischen Partei Deutschlands Berlin SW

上：
古代史の専門家によると、カプアの円形闘技場は4万人の観客を収容できた。

左：
ヘルマン・ボーゲルの版画。武器を持ったスパルタクスの最期を描いている。

左ページ：
資本家、軍人、教会、君主制に戦いを挑むスパルタクス団の1919年の宣伝ポスター。

レオナルド・ダ・ヴィンチ

未来を創造した男

絵画や素描画の作品で有名なイタリア人芸術家は、
時代のあらゆる知識を吸収した。
そして彼が直観したものの多くは実現した。

フィレンツェ、ベネチア、ミラノ、フランス

「万能の天才」と呼ばれた男

上：
イタリアの版画家ラファエロ・サンツィオ・モルゲン（1758-1833）が描いたレオナルド・ダ・ヴィンチの肖像画。

左ページ：
レオナルド・ダ・ヴィンチによる1492年頃のデッサン『ウィトルウィウス的人体図』。人体の比率についての習作であり、人間が宇宙の中心であると考えられていたルネサンス期の人間主義の象徴でもある。

1519年に他界したレオナルド・ダ・ヴィンチは、6000ページもの手稿とスケッチを残した。ページをめくるごとに、このイタリアの誇る芸術家、解剖学者、都市設計者、植物学者、地図学者の変幻自在な才能の全貌が明らかになっていく。手稿の中で、レオナルドは奇抜な機械で世界を変えたいという意志をつづっているが、なかには現代の発明を先取りしたような機械もある。たとえば、軍事技術者でもあった彼は、ベネチア人のためにトルコ軍艦の攻撃から身を守る潜水服を考案している。また、武器を装備し、360度の方向に移動できる円錐形の機械（円形戦車）も設計している。いわば戦車の原型だ。しかし、この天才トスカナ人にとって最大の挑戦は、飛行という人類の究極の夢を実現することだった。鳥からコウモリまで自然界を観察することで、インスピレーションの泉はあふれかえり、人力羽ばたき機、滑空機、さらにヘリコプターの祖先のようなオーニソプターも考えついた。どれもレオナルドの存命中には形にならなかったが、その考察は土木工学や流体力学の進歩に寄与した。

こうした発明品のうち、完璧に実現されたものがある。1485年から1502年にかけて、レオナルドは麻布でできたパラシュートを考案した。ピラミッド形で、横幅と高さはともに7メートル。帆は木製の枠に張られている。天才技術者レオナルドは、このパラシュートがあればどんな高さからも安全に飛び降りることができると断言していた。それは正しかった。2008年、スイスのパラシュート競技者オリビエ・ビエッティ=テッパは、レオナルドのパラシュートの複製を使って650メートルの高さから落下し、難なく着陸した。そう、まるで夢の中のワンシーンのように。

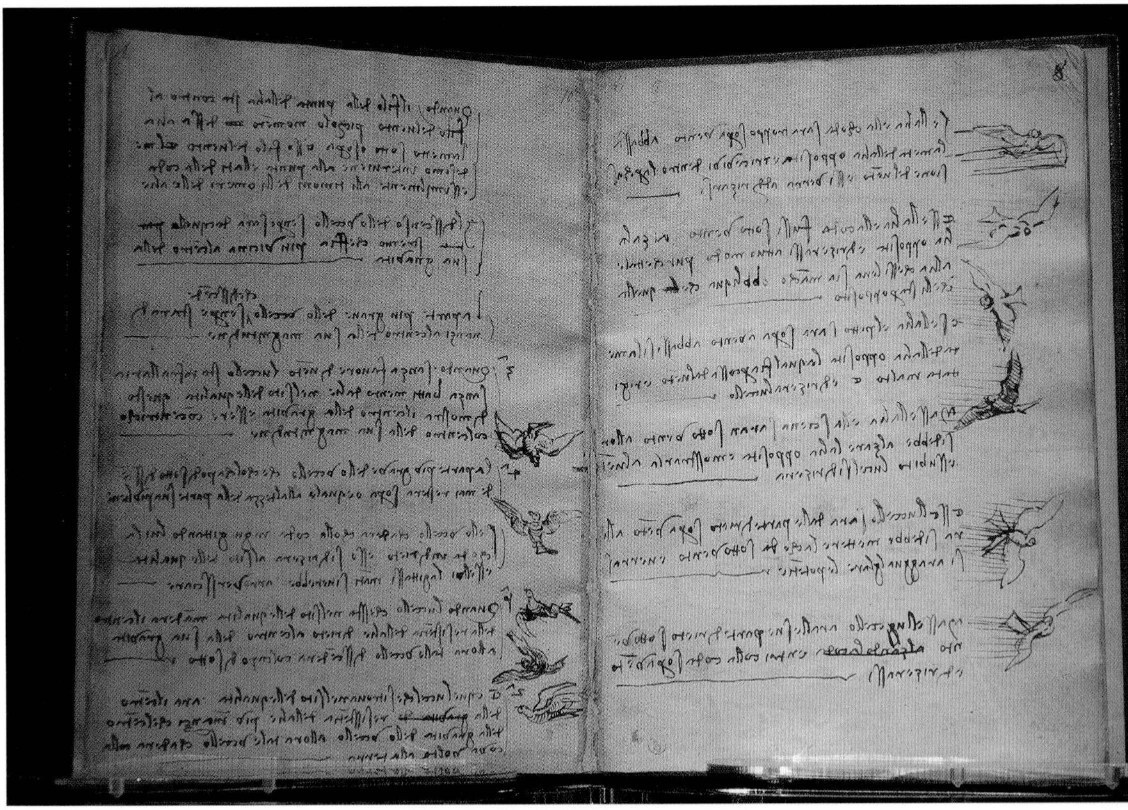

上：
レオナルド・ダ・ヴィンチの手稿（1505年）。主な内容は鳥の飛翔や飛行機械の調査。注目すべきは、鏡映書きをしていることだ。右から左に「鏡文字」で書いているが、これはおそらく利き手の左手で乾いていないインクを触らないようにするためだったと思われる。

右：
『アランデル手稿』（1485年頃）の素描をもとに製作された戦闘車の模型。戦車の原型と考えられている。

右ページ：
1485年から1502年にかけて書かれたパラシュートの設計図から起こした複製。設計図は『アトランティコ手稿』に収められている。

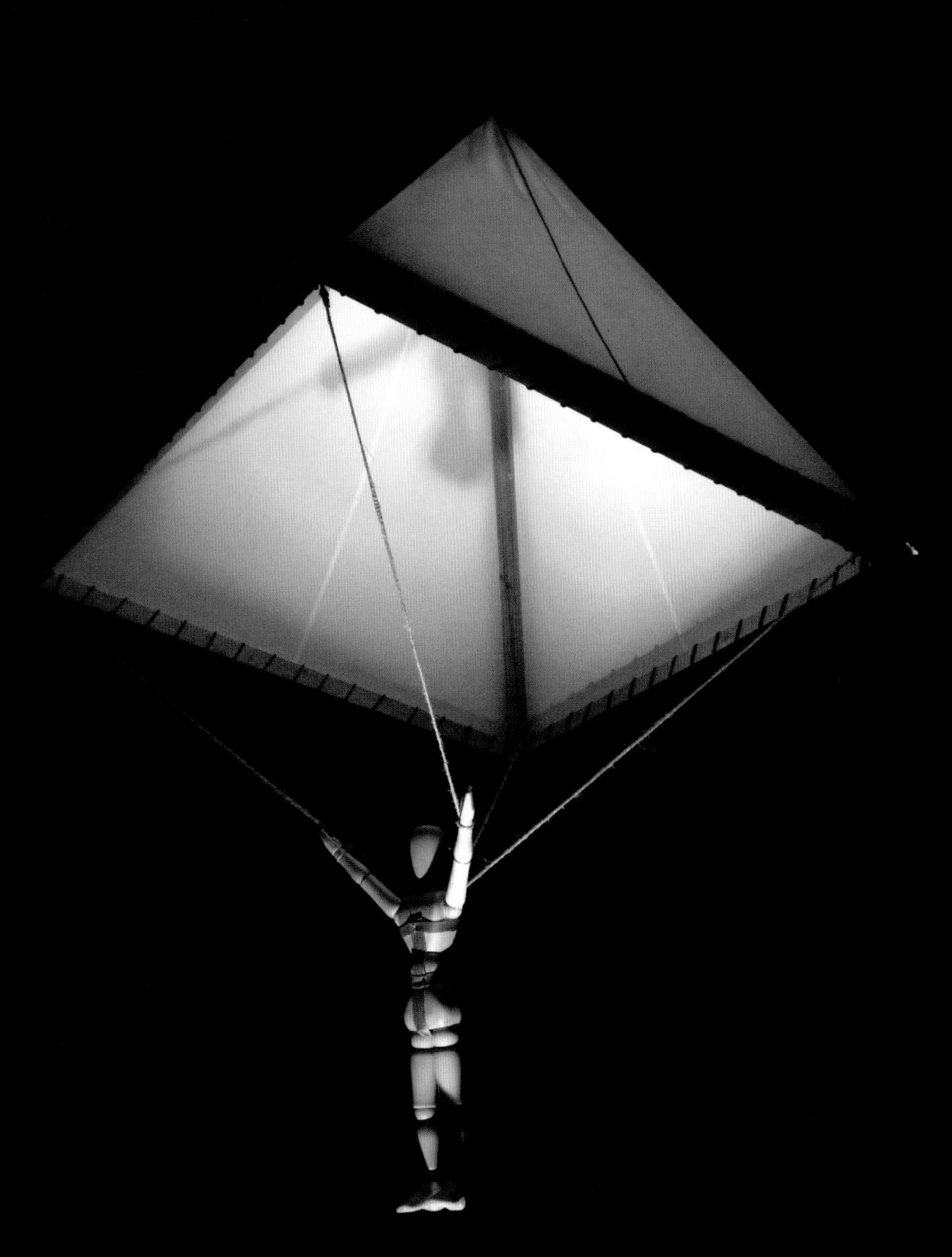

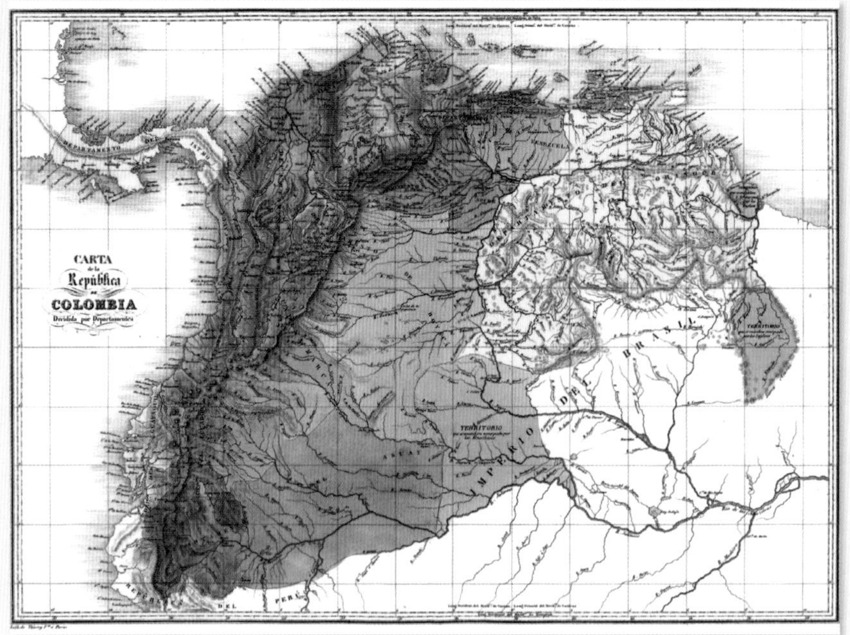

シモン・ボリバル

解放者か、米国版ドン・キホーテか?

ベネズエラの首都、カラカスのスペイン系資産家に生まれたシモン・ボリバルは、イスパノアメリカをスペインによる統治から解放することを誓った。

南米

イスパノアメリカの統一という夢

16世紀から18世紀にかけて、スペインとポルトガルは中米と南米の全地域を植民地化した。しかし、米国の独立、フランス革命の偉大な原理、そしてナポレオンによるスペイン征服が、永遠に隷属状態にあると思われていたラテンアメリカ世界を揺り動かした。解放闘争の英雄、シモン・ボリバルは終わりの見えない内乱に身を投じ、現地の民衆とともに蜂起して植民者たちに立ち向かい、成功をおさめた。数年後には「リベルタドール（解放者）」と呼ばれるようになる。大コロンビアの大統領に就任した彼は、独裁的でありながら筋金入りの共和主義者だった。資産家のボリバルは啓蒙主義思想に影響を受けていた。不公正を抑制するため、最も基本的な人権を守るために闘った。また、先住民の農奴制や黒人の奴隷制への反対運動も展開し、土地のより公平な分配を目指した。

しかし、さらに壮大な計画は別のところにあった。ボリバルは南米の統一という夢にとりつかれていたのだ。地域ごとの違いをふまえたうえで、イスパノアメリカの「人民」全体を構成する各要素の特徴を尊重しつつ、連邦国家を築こうとした。しかし、1826年にこの国家連合構想を承認するはずだったパナマ会議は悲惨な失敗に終わり、南北アメリカ大陸の協力体制というユートピアは実現しなかった。

ボリバルはイスパノアメリカのジョージ・ワシントンになることを夢見ながら、誰からも見放され、むなしい戦いに敗れたドン・キホーテとして生涯を終えた。死の数カ月前、「革命に身を投じることは、海を耕すようなものだ」と断言した男は、本当にラテンアメリカ統一が実現すると信じていたのだろうか?

上：
当時コロンビア、パナマ、エクアドルそしてベネズエラを統合していた大コロンビアの地図。

右ページ：
偉大なる解放者、ボリバル。この肖像は、ベネズエラの通貨ボリバルの紙幣に描く図柄のモデルに何度も使われた。

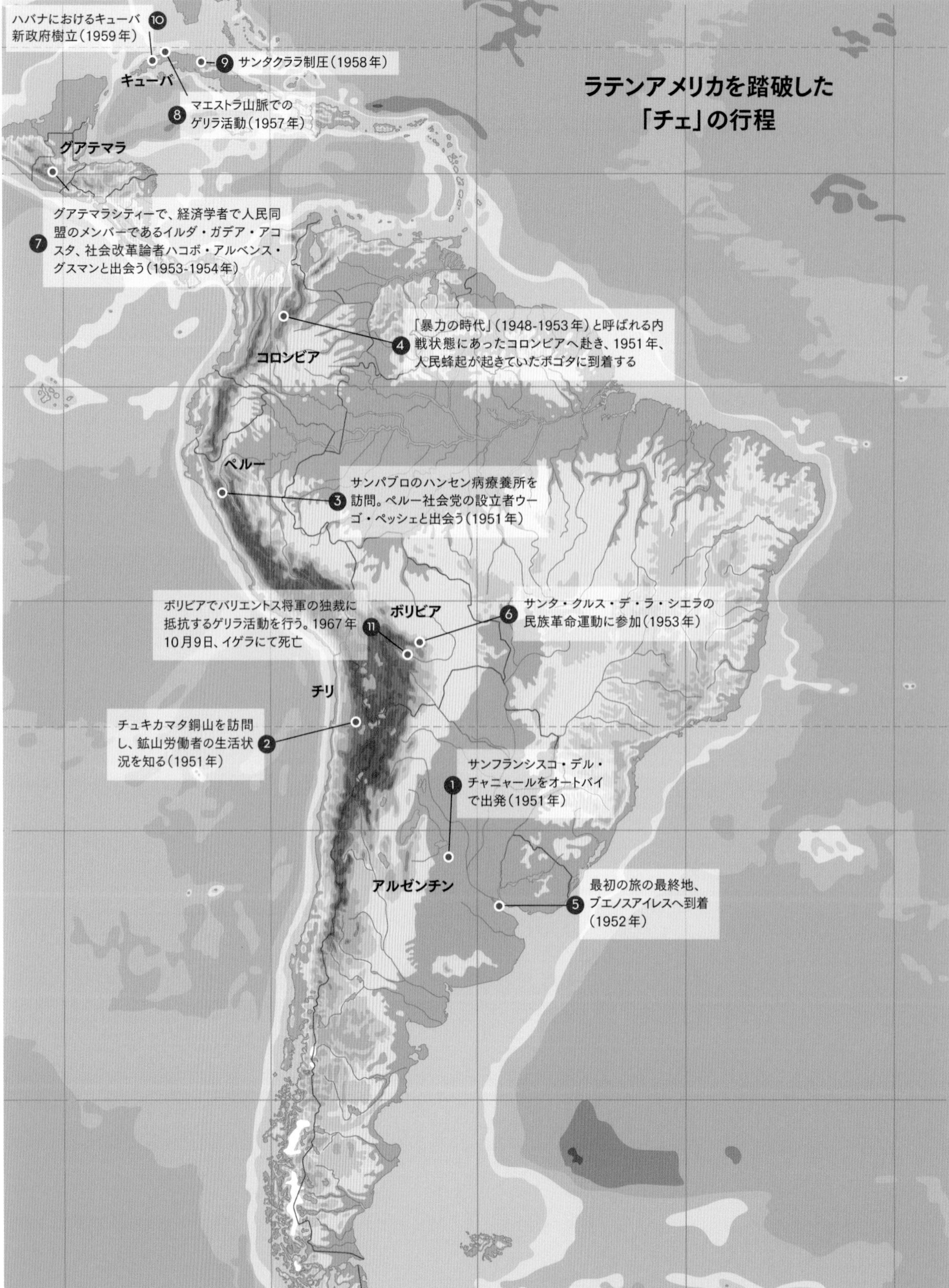
ラテンアメリカを踏破した
「チェ」の行程
ハバナにおけるキューバ
新政府樹立（1959年）
10
9 サンタクララ制圧（1958年）
キューバ
8 マエストラ山脈での
ゲリラ活動（1957年）
グアテマラ
7 グアテマラシティーで、経済学者で人民同盟のメンバーであるイルダ・ガデア・アコスタ、社会改革論者ハコボ・アルベンス・グスマンと出会う（1953-1954年）
4 「暴力の時代」（1948-1953年）と呼ばれる内戦状態にあったコロンビアへ赴き、1951年、人民蜂起が起きていたボゴタに到着する
コロンビア
ペルー
3 サンパブロのハンセン病療養所を訪問。ペルー社会党の設立者ウーゴ・ペッシェと出会う（1951年）
ボリビアでバリエントス将軍の独裁に抵抗するゲリラ活動を行う。1967年10月9日、イゲラにて死亡
11
ボリビア
6 サンタ・クルス・デ・ラ・シエラの民族革命運動に参加（1953年）
チリ
2 チュキカマタ銅山を訪問し、鉱山労働者の生活状況を知る（1951年）
1 サンフランシスコ・デル・チャニャールをオートバイで出発（1951年）
アルゼンチン
5 最初の旅の最終地、ブエノスアイレスへ到着（1952年）

エルネスト・チェ・ゲバラ

革命的ユートピア論者

南米の人々のため勝つ見込みのない戦いに挑んだ、アルゼンチンの若き医師がいた。

ラテンアメリカ

圧政と貧困への反抗の象徴

220-221ページ：
エルネスト・ゲバラが埋葬されたバジェグランデ（ボリビア）にある壁画。「チェは公正を求める人々の顔と心の中にいつまでも生きている」と書いてある。

1951年、若き医学生エルネスト・ゲバラはアルゼンチンからオートバイで南米大陸を周る大旅行に出発した。この初めての旅を通して、南米が不公正と貧困と人種差別にむしばまれていることを彼は知る。ここは米国の支配下にある大陸なのだ。米国は自国の利益を守るため南米の現地政治を管理下に置き、米国系多国籍企業は地元住民の利益など考えずに自然資源を搾取していた。深い衝撃を受けたゲバラは、この状況を変え、ラテンアメリカを解放したいと思った。それは、理想家肌の青年の野望だった。世界を変えるのは力だけだと悟った彼は、キューバで反乱の準備を進めていたカストロ兄弟と出会い、友情を結んだ。1959年にキューバ反乱軍が勝利をおさめると、ロマン主義傾向を持つゲリラ兵士だったゲバラは突然、政治家になることを強いられ、国立銀行総裁や工業大臣を歴任した。

生まれながらの反逆児がここで落ち着くわけはなかった。彼は戦いの場に身を置くことを望み、地球上の恵まれない人々のために身を捧げ、「2つ、3つ、…もっと多くのベトナムをつくろう」とした。1965年、ゲバラはベルギーと米国の統治下にあった旧ベルギー領コンゴに渡ってゲリラ活動を行ったが、数カ月で引き揚げを余儀なくされた。それでも、根っからの革命家の心をくじくには足りなかった。1年後、ゲバラはボリビアの軍事政権に対する反乱軍を組織したが、1967年10月8日に米国の加担によって拿捕され、翌日処刑された。

亡くなると同時に、彼は反体制の若者たちの偶像となった。命を落とす危険を冒してまでも、夢を極限まで追求した革命家に、人は魅了されるのだ。

EL CHE V
EN EL CORAZÓN Y LOS ROSTROS DE L

QUE EXIGEN JUSTICIA

ローザ・パークス

座ったまま、立ち上がった黒人女性

20世紀半ば、1人のお針子が米国社会を様変わりさせた。
礼儀正しく穏やかな態度のまま、体制への服従を拒否したのである。

アラバマ州
(米国)

平等な権利を求める
闘いの立役者

上：
テネシー州メンフィスの公民権運動博物館にあるローザ・パークスの像。同博物館は、1968年4月4日にマーティン・ルーサー・キングが暗殺されたホテルの中に設立された。

右ページ：
モンゴメリーの警察署で撮られた、シリアルナンバーを持つローザ・パークスの写真。約10ドルの罰金刑を命じられることになる。

米国では当時、奴隷制度を引き継ぐ形で人種隔離政策が取られていた。黒人は日常的に暴力を受けていたが、これを止める手立てはどこにもなさそうだった。人間として最も基本的な権利さえ与えられず、黒人たちはクー・クラックス・クランや私刑におびえながら暮らしていた。バスの座席は、車内前方が白人専用、後方が黒人専用と決められていた。このように「人種別」に行動を規定する法律は変えようがないものだと思われていた。1955年12月1日までは。この日、アラバマ州モンゴメリーを走る公営バスの中で、アフリカ系アメリカ人のお針子ローザ・パークスは白人のために席を立つことを拒否した。非常識かつ現実離れした振る舞いだったが、不服従という行為は世界的な反響を起こした。ローザは座り続けることによって米国の黒人すべてに尊厳があることをはっきり示し、人権の平等性をめぐる闘いの歴史に輝かしい姿を残したのである。マーティン・ルーサー・キング牧師が彼女の声を人々に届けた。1年後、最高裁は公営バスでの人種隔離の廃止を可決し、1964年にはあらゆる種類の人種隔離政策が撤廃された。

かくして黒人は、理論上は法の下に白人と平等の権利を獲得した。ローザの勇気ある行動から60年以上経ても、白人家庭と黒人家庭は依然として別々の地区に住み続けている。平均して黒人の所得は白人の所得よりもかなり低いままだし、服役囚の大多数はアフリカ系アメリカ人だ。平等というユートピアにたどり着くまでの道のりはまだ長い。

7053

ESPERANTO
frateco kaj justeco inter ĉiuj popoloj

Kolektisto de frazoj

L.L. Zamenhof

言語ユートピアから政治的なプロジェクトへの変遷

ヨーロッパで誕生、世界中に普及

● 1905年以降、世界エスペラント大会を開催した都市

世界エスペラント協会：■ 設立　本部

2016年時点、全国エスペラント協会がある国

政治運動：エウロポ・デモクラティオ・エスペラント

エウロポ・デモクラティオ・エスペラント（EDE：「欧州・民主主義・エスペラント」の意）が欧州議会選挙（2004、2009、2014）の際に名簿を届け出た国

0.18％ 2014年の得票率

サンフランシスコ
バンクーバー
ポートランド
カナダ
米国
メキシコ
ワシントン
ハバナ
レイキャビク
日本
東京
横浜
ソウル
ロシア
北京
中国
ハノイ
ベトナム
ロッテルダム
1908年、ジュネーブ
インド
シンガポール
オーストラリア
アデレード
テルアビブ
ブラジル
フォルタレザ
アルゼンチン
ブラジリア
ブエノスアイレス
マリ
コンゴ民主共和国
南アフリカ共和国

タンペレ
オスロ
ストックホルム
ヘルシンキ
コペンハーゲン
ロッテルダム
ハーグ
ビリニュス
ロンドン
ドイツ
ベルリン
ビャウィストック
ワルシャワ
1905年、第1回世界大会、ブーローニュ＝シュール＝メール
パリ
プラハ
クラクフ
ベルン
ウィーン
2016年、ニトラ
フランス
0.18％
ブダペスト
ジュネーブ
ザグレブ
ベオグラード
フィレンツェ
マドリード
バルセロナ
ソフィア
ローマ
アテネ

Sources : Universala Esperanto Asocio, Association mondiale d'Espéranto ; Europe Démocratie Espéranto

ルドビコ・ザメンホフ

エスペラント（希望する人）博士

人々の相互理解を深めるための共通言語をつくること。それこそが、ある人間主義の発明家のプロジェクトだった。

ワルシャワ（ポーランド）

120カ国にエスペラント語のコミュニティーがある

左ページ：

希望の色である緑を背景に、ザメンホフ博士が考案した完全人工言語は「あらゆる人々が友愛に満ちた公平な関係性を築く」ことを約束している。

エスペラントは理想主義的なプロジェクトであるが、現実の諸事情から目を背けているわけではない。簡単に学ぶことができるよう設計されており、耳慣れなさと同時に不思議と懐かしい抑揚を持つ言語だ。話し手が自分の母語を相手へ押しつけないことで、コミュニケーションと友愛関係を育むことがエスペラントの目的である。19世紀末、ザメンホフの生まれ故郷ビャウィストクにはロシア人、ポーランド人、ドイツ人、そしてユダヤ人の共同体があったが、調和的に共生していたとはいえなかった。

そんな情勢を憂えた多言語話者のザメンホフは、自ら「エスペラント（希望を持つ人）博士」と称し、多様な人々の架け橋となり得る言葉として、どの現用言語の系譜にも属さない中立語を開発した。1905年には第1回世界エスペラント大会が開かれ、20カ国から688人の熱心なエスペラント話者が参加した。もちろん、課題はたくさんあった。国際連盟のフランス代表はフランス語を外交用語とすべきだと主張し、ナチス・ドイツは「ユダヤ人の陰謀に使われる武器」と見なされるものを叩きつぶそうとしていた。それでも、エスペラントのコミュニティーは消滅しなかった。今日では全世界に何百万人もの話者がおり、普遍的言語、普遍的コミュニケーションという理想のもとに団結している。

ところで、ĉu vi parolas Esperanton ?（あなたはエスペラントを話しますか?）

右：
ブリューゲル（父）が1563年に描いた聖書のバベルの塔。この逸話が語るような、地上における言語の分裂と混乱に対する前向きな解決策として、エスペラントは考案された。

TRAVAIL
D'UN-SEUL HOMME

フェルディナン・シュバル

郵便配達員の理想宮

誇大妄想は、えてして庭の片隅で始まるものだ。

ドローム県（フランス）

昼も夜もたった1人、素手で建てた

左上：
郵便配達員シュバルとその宮殿

右上：
フェルディナン・シュバル（1836-1924）は33年かけて理想宮を建て、その後8年かけて自分の墓を建てた。

左ページ上：
型破りな建築物、シュバルの理想宮。

左ページ下：
孤独で誰にも理解されなかったフェルディナン・シュバルは記念碑の上にこう記した。「たった1人の人間による作品」

1879年4月、フランス、ドローム県の田舎で郵便配達をしていたフェルディナン・シュバルは石につまずいた。石の形があまりに風変わりだったので、彼はこれを使ってひそかに思い描いていた夢を実行に移そうと決めた。その夢とは、自然の美や雑誌の挿絵に想を得た宮殿を、自宅の庭に造ることだった。以後33年間、郵便配達員シュバルは来る日も来る日も石を選んでは手押し車に載せ、1人で運んだ。シュバルはこう書いている。「自然の中にすでに彫刻があるのなら、私は石工と建築家の役割を務めよう」

この素朴で学のない男の手が生み出した壮大な宮殿には、モスク、クメール神殿、中世の城、山小屋の断片が隣り合って建っている。人は住めないが、タコやゾウなどの珍しい動物たちや、巨人、妖精、神話の生き物たちでひしめいている。階段や地下のグロット（洞窟）の一つひとつに、強く普遍性を志向する想念が書きつづられ、これらをガリア解放の英雄ウェルキンゲトリクスや、シーザーそしてアルキメデスの像の博愛に満ちた眼差しが見守る。シュバルはまた、「これは芸術だ。夢だ。活力だ」とも書いている。

当時の人々の多くは、彼を奇妙な夢にとりつかれた男だと見なした。しかし、芸術家たちの目は確かだった。シュルレアリストたちはシュバルを称賛し、理想宮の価値を認めたアンドレ・マルローは1969年にこれを歴史的建造物に指定した。独創的で規格外の作品を仕上げた天才職人は現在、素朴派の始祖と呼ばれている。

ジョーン・バエズ

フォークソングの良心

非暴力を訴え、米国反体制派のアイコンとなったフォーク歌手。
そのソプラノボイスには、大量破壊兵器並みの威力があった。

カリフォルニア州
(米国)

あらゆる闘いに
身を投じた歌手

上：
ワシントンでマーティン・ルーサー・キングが開催したワシントン大行進に参加したジョーン・バエズ。1963年8月28日。

右ページ上：
ワシントン大行進に集まった20万人の前でボブ・ディランと共演。

右ページ下：
1969年8月15日、ウッドストック・フェスティバルの初日、ジョーン・バエズは最後に登場した。

1960年代のユートピア思想を代表する歌手、ジョーン・バエズは、当時のあらゆる闘い、とりわけ勝つ見込みがない闘争に身を投じてきた。反動的で人種差別が横行する米国で、彼女の戦場は拡大していった。自由と社会正義と世界平和を求める永遠の闘士バエズは、こう語っている。「私は何よりもまず1人の人間であり、次に平和を求める闘士です。歌手であることはその次です」。ファーストアルバムですでに名声を得ていたこの華奢な歌手は、マーティン・ルーサー・キングがのちに伝説となる「I have a dream（私には夢がある）」の演説を行ったとき、そのかたわらにいた。演説が終わると、25万人の聴衆の前で『勝利を我等に』を歌った。まだ22歳のときのことだ。ギターを肩から斜めがけしたジョーン・バエズは、その後も非寛容な国、米国に立ち向かい続ける。

1972年にはベトナム戦争中のハノイへ赴き、B52機の爆撃が降り注ぐ現地から、母国の残虐行為を伝えた。バエズの平和と自由と正義を願うメッセージは、国境を越えた。歌声は世界中に届き、とりわけ自由を求める運動がむなしく不可能で非現実的と思われていた国々に響いた。親フランコ政権の放送局で『奴らを通すな』というスペイン共和党のスローガンを歌ったこともある。独裁政権下のチリでは、ピノチェト大統領に立ち向かった。ソ連の統制下のポーランドでは「連帯」を支持し、アルゼンチンでは孫が行方不明となった祖母たちの活動を助け、ガザ地区ではパレスチナ難民を励ました。どんな代償を払っても、より良い世界を実現したいと夢見るバエズを邪魔できるものは何もない。キング牧師が言うとおり「夢見る者を殺すことはできても、夢そのものは殺せない」のだ。

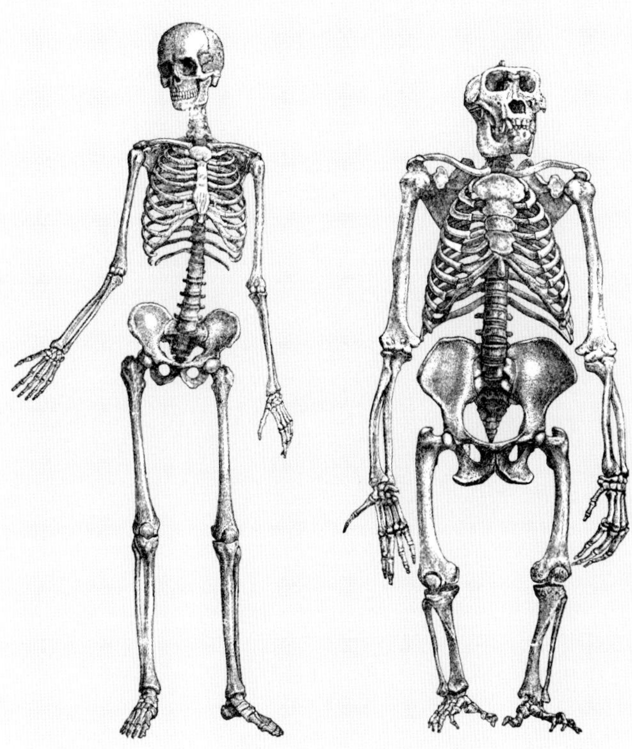

ジェーン・グドール

直観と観察で動物学の定説を覆す

エコロジストでヒューマニストのジェーン・グドールはチンパンジーの賢さを発見し、人間と動物の関係性を再定義した。

ゴンベ渓流国立公園（タンザニア）

類人猿に対する偏見を激変させた

左ページ上：
「あなたを見つめるチンパンジーの赤ちゃんは、人間の赤ちゃんと変わりません。育て上げる責任が私たちにはあるのです」

左ページ下：
1960年には100万頭生息していたチンパンジーだが、現在その5分の1まで減っている。

1960年7月14日、ジェーン・グドールはタンガニーカ湖のタンザニア側の岸辺にあるゴンベ渓流国立公園に着任した。自然環境に生きる野生動物を長期にわたり研究するためだ。独学でやって来た若き英国女性は、よもや自分がチンパンジーに対する世の見方を一変させることになろうとは想像もしていなかった。当時、大型類人猿は蔑視の対象であり、捕獲して解剖するか、サーカスで見世物にする動物でしかなかった。チンパンジーを研究する科学者たちは、まるで彼らが物であるかのように番号で呼んでいた。だが、グドールは違った。彼女には、チンパンジーが賢く、感情を持ち、社会生活を営んでいるという強烈な直観があった。しかし、既成の秩序に究極の疑問を投げかけるような説を信じるのは、ユートピア論者か、少し頭がおかしい人くらいだろう。

タンザニアに到着して4カ月も経たないうちに、グドールは20世紀における最も偉大な発見のうちの1つを報告することになる。あるとき彼女の目の前で、2匹のチンパンジーが木から小枝を引きちぎって葉をむしり取った。2匹はその棒をシロアリの巣に突っ込むと、シロアリを捕まえて食べた。革命的な発見だった。人間だけが道具を使える、という考えは間違いだったのだ。とてつもない忍耐力を発揮して、グドールは何年間もチンパンジーを観察し、彼らが植物を用いて治癒行為をすること、子どもたちに知識を伝えること、約20音の原初的な言語を使って意思の疎通を図ることを確かめた。性格や組織性、暴力性や優しさにおける人類と類人猿の類似点を証明しつつ、グドールは動物にも知能と感受性があることを確認し、数千年も続いてきた種差別主義を打ち破ったのだ。

ポール・ワトソン

徹底主義のエコロジスト

人騒がせな環境保護戦士ポール・ワトソンは、
『タイム』誌で20世紀における最も偉大な環境活動家の1人に選ばれた。

ワシントン州
（米国）

漁獲量の40パーセントは
違法漁業

上：
ポール・ワトソンの船は10隻ほどの違法漁船を埠頭で沈め、海上では数多くの船に体当たりしてきた。

右ページ：
漁船に対する暴力行為によって数カ国から指名手配を受けているポール・ワトソン。フランスにおける初の環境政治亡命者となった。

1960年、ポール・ワトソンは10歳にしてすでに剛直な性格の片鱗と、自然に対する無条件の愛を示していた。カナダの東端、ニューブランズウィック州の漁村に住む少年は、なんと地元の毛皮専門猟師に捕獲されたビーバーを逃がしてやったうえ、片っ端から罠を破壊したのである。もっと自然を大切にする世界をつくる、という子ども時代からの夢を、ワトソンは大人になっても決して忘れなかった。環境保護団体グリーンピースの前身組織の創立メンバーとして、最高にメディア映えしそうな活動を次々と編み出した。1977年3月には、ブリジット・バルドーをカナダの氷原に招待し、残忍なアザラシの赤ちゃん捕獲に抗議してもらった。アザラシの子どもたちは氷原の上で棍棒によって殴り殺されていた。この抗議運動は世界中に大反響をもたらしたが、こうした数々の作戦が人々の関心を喚起しても、ワトソンはまだ満足しなかった。

そして1979年、この反逆的環境活動家はアース・フォースという組織（シー・シェパードの前身）を立ち上げる。海の羊飼い（シー・シェパード）は、大洋とその生物多様性をより効果的に守るため、海賊に変身したのだ。どんなことでもやりかねない密漁者がいると分かれば、腕力に訴えた。以来、ポール・ワトソンは違法漁業の網を破壊もしくは押収し、1986年以降禁止されている捕鯨を続けるアイスランド、日本、デンマーク、ノルウェーの捕鯨船にためらいなく穴を開けた。海賊のイメージを強調するように、乗組員は黒いユニフォームを着て、どくろと骨をあしらった旗が船上で揺れている。これまで何度も逮捕されているポール・ワトソンは、ただ子ども時代の夢を追っているだけではない。無数の海洋動物を救い、エコロジー活動の在り方を変えてきたのだ。

SEA SHEPHERD
FREE
PAUL
WATSON

ワンガリ・ムタ・マータイ

樹木の母

アフリカ人の運命と森林の運命が密接に結びついていたなら?
ケニアのエコ・フェミニストはそんな理論を打ち立てた。

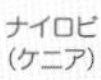

ナイロビ
(ケニア)

グリーンベルト運動が
植えた木は3000万本になる

左ページ上:
ソーセージノキは、ワンガリ・マータイが始めたグリーンベルト運動で最も多く植林された樹種の1つ。

左ページ下:
ナイロビのウフル公園は、土地開発業者に立ち向かったワンガリ・マータイのおかげで取り壊しを逃れた。

1970年代の終わり、生物学者で動物解剖学の教授、とりわけ環境活動家として活躍していたワンガリ・マータイには、明快な直観があった。森林伐採によって自然環境が破壊され、土壌侵食や砂漠化が進めば、それは人間生活をも荒廃させるだろうという直観だ。犠牲になるのは女性や子どもたちである。彼らは暖を取るための薪を集めるのにますます遠くまで行かなければならなくなる。最初に飢餓や病気の犠牲になるのも女性と子どもだ。

状況は最悪だった。1960年にケニア国土の3分の1を占めていた森林は、15年後には全土の5%にまで減っていた。マータイはグリーンベルト運動という植林活動を開始し、この破壊的な悪循環に歯止めをかけようとした。何百万本もの樹木を女性たちに植えてもらうことで、ケニア国民の運命を変えられると固く信じていたのである。「木を1本植えるごとに、女性の自立の種を1粒、環境保護の種を1粒まいていることになるのです」。マータイは種をまくだけではなく、男女の平等、自由、社会正義、環境、そして民主主義についての考えを、ケニアのみならずタンザニア、ウガンダ、エチオピア、ジンバブエなどアフリカ全土へ広めようとした。彼女が展開する運動は大陸全体に広まり、どこでも同じように成功した。

権力を握る特権階級の経済的利益を非難したため、ダニエル・アラップ・モイ大統領の独裁政権から威嚇を受けるようになったものの、彼女自身の名声が助けとなり、主義を貫くことができた。2004年、マータイはアフリカ人女性として初めてノーベル平和賞を授与される。エコフェミニズム活動家として世界中で認められた彼女の意志を何万人もの女性が引き継いで、3000万本もの植林を行ってきた。

マララ・ユスフザイ

女性たちのヒロイン

最年少でノーベル平和賞を受賞したパキスタンの少女は、
同胞女性たちの運命を変えるため、タリバンに立ち向かった。

ミンゴラ
（パキスタン）

世界中の子どもたちの
就学を支援する「マララ基金」が
2012年に創設された

左ページ上：
マララが生まれたパキスタン北部の町、
ミンゴラの遠景。

左ページ下：
小学校の制服を着たパキスタンの少
女たち。アボッターバードにはマララと
ビン・ラディンも住んでいた！

マララ・ユスフザイが生まれる1年前、パキスタンとアフガニスタンの国境地域ではタリバンが時代錯誤な慣習を住民たちに強いていた。女性たちはブルカをかぶって男性の絶対的な支配下に置かれ、最低限の教育しか受けられなかった。2001年の米国軍侵攻によって中央政権から追いやられたイスラム過激派は、それでも北部で影響力を行使し続け、女子の教育施設を次々と破壊していった。そうした狂暴な行為に対して立ち上がる勇気を示したのは、まだ10歳の少女だった。少女は事情が許せば速やかに、正々堂々と、またはブログ上で、教育の機会の権利を踏みにじる者たちを非難した。やがてタリバンにとってマララ・ユスフザイは無視できない存在になっていく。10代の少女にとって、テロリストとの闘いはユートピア的なんてものではなかった。勝つ見込みなど、ほとんどなかったのだから。

「私に選択肢は2つしかありませんでした。1つは、口をつぐみ、死を待つこと。もう1つは声を上げてから殺されることでした」。マララが選んだのは2つめの道だ。「武器を使えばテロリストは殺せるでしょう。しかし教育があればテロリズムをなくすことができるのです」。2012年10月9日、スクールバスに乗っていたマララを2人の男が機関銃で襲撃。首と頭に重傷を負った彼女は英国の病院に移送され、緊急手術を受けた。一命をとりとめたマララは、その後すぐに理想への闘いを続行する決意をする。数カ月後、国連本部での演説で、彼女はこう言った。「タリバンは私たちに沈黙を強いようとして失敗しました。1人の子どもが、1人の先生が、1本の鉛筆が、1冊の本が、世界を変えられるのです」

ミシェル・ジョウエン神父

惨めな人生からの船出

行き場のない若者たちを助けようと海の力を借りたジョウエン神父は、生まれ故郷ブルターニュの花崗岩のように頼もしかった。

フィニステール（フランス）

船に迎え入れたのは1万5000人以上

上：
1968年にジョウエン神父が買い取ったベルエスポワールは長さ38.5メートル、幅7.2メートルの帆船だ。

右ページ：
船体の肖像画はジョウエン神父へのオマージュ。

1968年のある夏の日、ミシェル・ジョウエン神父は青年・スポーツ局の新事務局長ジョゼフ・コミティと会っていた。フランスのフレンヌ刑務所付き司祭であり、カリスマ的なイエズス会修道士であったジョウエン神父は、服役者の社会復帰のために斬新な方法を用いることと、海をこよなく愛することで知られていた。青年・スポーツ局の建物から出てきた神父は、地上での新たな使命を担っていた。地上ではなく、海上でというべきかもしれない。麻薬中毒の若者を船に乗せて、依存症という地獄から救うよう請われたからだ。「ベルエスポワール」（美しい希望）と名づけた古式帆装の船で、ウェサン島出身のジョウエン神父は不良少年たちとともに出発した。目指すべき人生の新しい岬を彼らに発見させたいと願いながら。しかし最初の航海では、結果を出せなかった。若い麻薬中毒者たちを一緒にすると、彼らは麻薬の話ししかしないのである。神父はあるひらめきのもと、プロジェクトを立て直した。年齢、性格、過去、そして欲求の異なる人間を取り混ぜて乗組員を組織したのだ。人生に傷ついた若者たちは、一家で乗船してくる人々や子どもたち、年金生活者、商船学校の生徒たち、そしてやる気満々な参加者たちと船上で交流することになった。そうしてジョウエン神父はみなの人生を変えてしまった。

海上においても、フィニステールの北西部に彼が建てた小さな造船所においても、基本方針は変わらない。粗削りだけれど愉快な彼の哲学はこうだ。「幸せになるためには自分で何とかしろ。おまえが幸せになれば、ほかのみんなも幸せになるんだから！」。嵐や荒天になりそうなときもあれば、悪習に再び陥りそうになることもある。それでも、迷える多くの若者たちが新たな希望を持つことができたのは、広い海に連れ出してくれ、社会的にいろいろな立場の人とふれあわせてくれた、この老イエズス会修道士のおかげだった。

THOSE WHO SACRIFICE FREEDOM 4 SECURITY DESERVE NEITHER
YES WE SCAN
Die NSA wusste schon vorher, was für ein Schild ich malen würde.
fuck #PRISM
TRANSPARENTER STAAT STATT GLÄSERNER BÜRGER!
change.org/prism

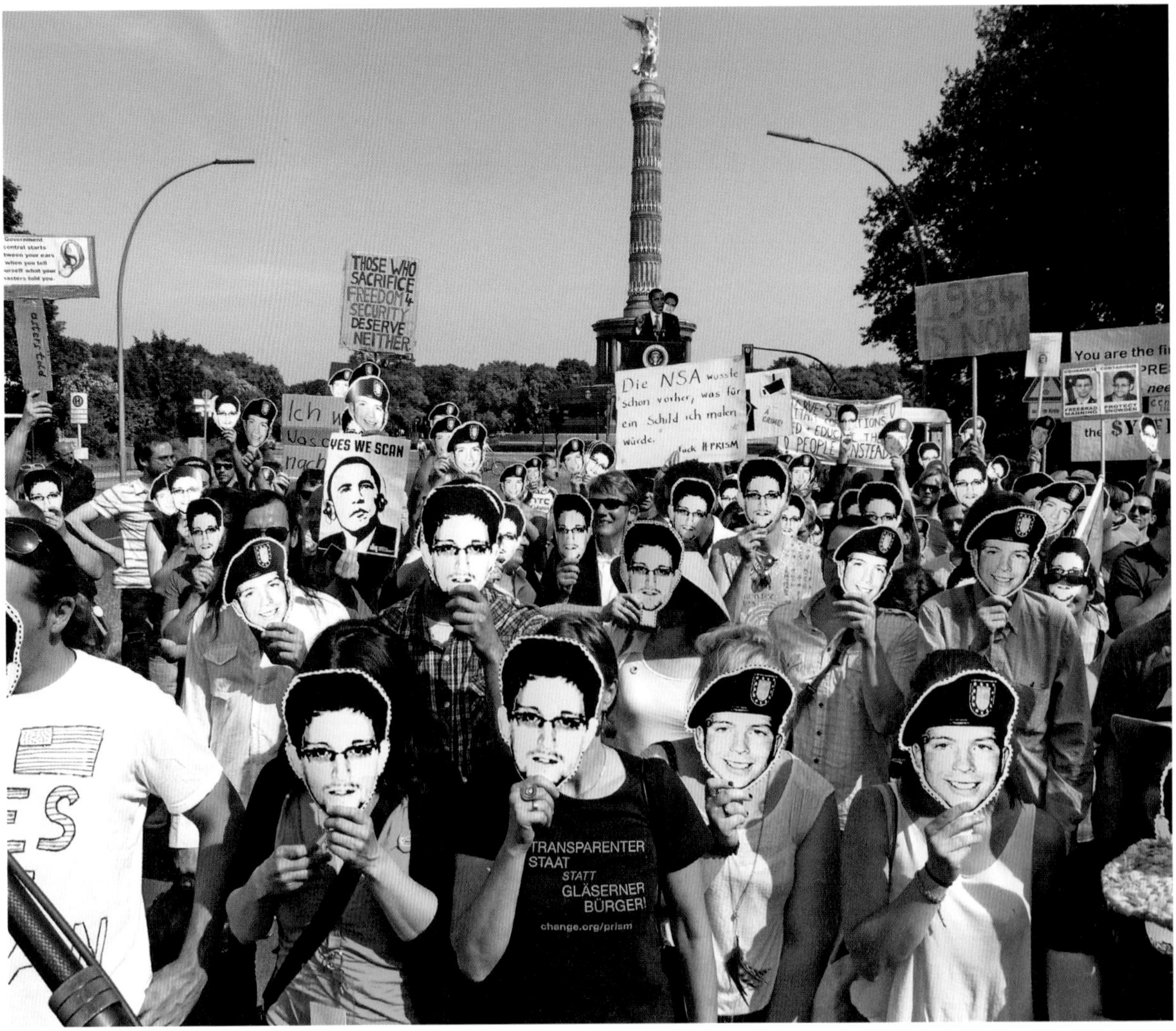

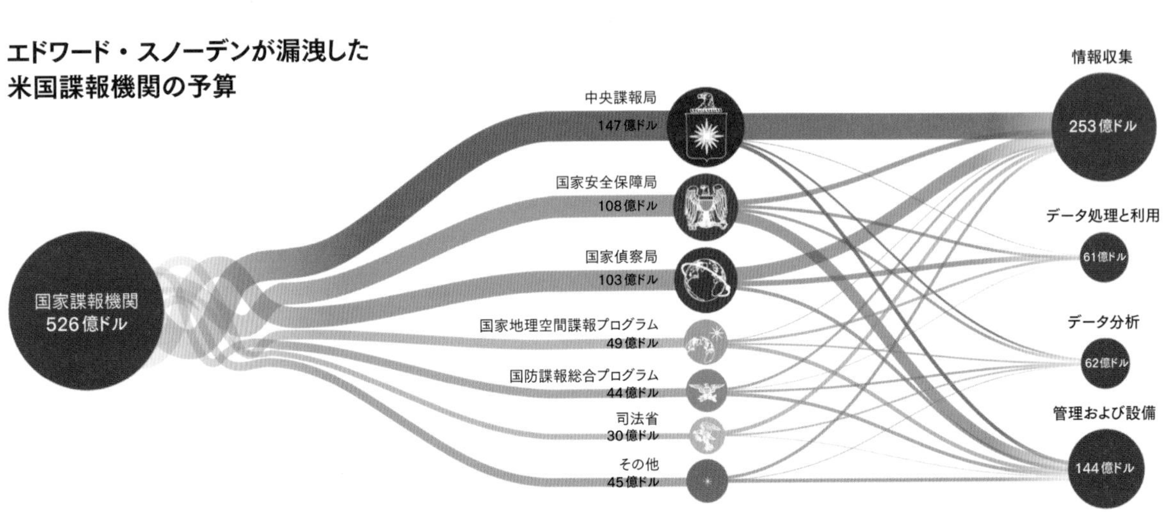

エドワード・スノーデンが漏洩した米国諜報機関の予算

国家諜報機関
526億ドル
中央諜報局
147億ドル
国家安全保障局
108億ドル
国家偵察局
103億ドル
国家地理空間諜報プログラム
49億ドル
国防諜報総合プログラム
44億ドル
司法省
30億ドル
その他
45億ドル
機関
情報収集
253億ドル
データ処理と利用
61億ドル
データ分析
62億ドル
管理および設備
144億ドル
予算の主要項目

Source: FY2013 Congressional Budget Justification Book
Data published by W. Andrews and T. Lindeman in Washington Post Aug. 29, 2013.

エドワード・スノーデン

デジタル監視社会を告発した青年

最重要指名手配者となった内部告発者が挑んだのは、個人データを意のままにするサイバー管理社会だった。

モスクワへの亡命
(ロシア)

スパイ容疑
(米国)

上：
フェリペ・クレスポが木版画で描いたエドワード・スノーデンの肖像。

左ページ上：
2013年6月、米大統領バラク・オバマのベルリン訪問時、NSAの諜報プログラム「プリズム」に抗議するデモ行進。

2013年6月9日、コンピューターエンジニアだった青年は既成秩序を打ち破ることを決意した。細ぶち眼鏡をかけ、うっすら髭を生やした米国人エドワード・スノーデンは、香港のホテルの一室で撮影した動画の中で、世界中で大量のデジタル監視の実施が制度化されている事実を告発した。かつて自分が働いていた強大な米国家安全保障局（NSA）で、何百万人もの電話盗聴記録と巨大なネット空間における個人データが連日収集されている、と暴露したのである。人工知能を利用して、人々の生活のあらゆる側面を追跡する活動は世界規模で行われていた。エドワード・スノーデンは一夜にして英雄として持ち上げられた。

学歴もない内気な独学者のオタク青年は、理想の社会を思い描く根っからの利他主義者だ。「世間から注目されたくはないし、この件の中心人物になりたくもありません。大事なのは機密資料の内容であり、議論のきっかけがつくられることなのです。そして最終的に、自分たちが暮らしたいと願う世界が本当はどんな姿をしているのか、問うことができるようになればと思います」

全方位管理システムを告発したデジタル系ロビン・フッドは、母国から敵と認定されている。米国でスパイ行為、窃盗、政府保有物の不正利用などの容疑をかけられているスノーデンが、プーチン政権下のロシアを亡命先に選ばなければならなかったのは、どう考えても奇妙な状況である。スノーデン事件は、一見すると一個人の敗北に過ぎないが、最終的には集団の勝利でもあった。というのも、もし当局が私たちを監視し続けるとしても、今や私たちはその証拠を握っているのだから。

熱気球
データ：
体積　2500立方メートル
高さ　20メートル
直径　15メートル

サル・ド・ラ・ベルナ
データ：
体積　360万立方メートル
高さ　194メートル
長さ　255メートル
幅　　245メートル

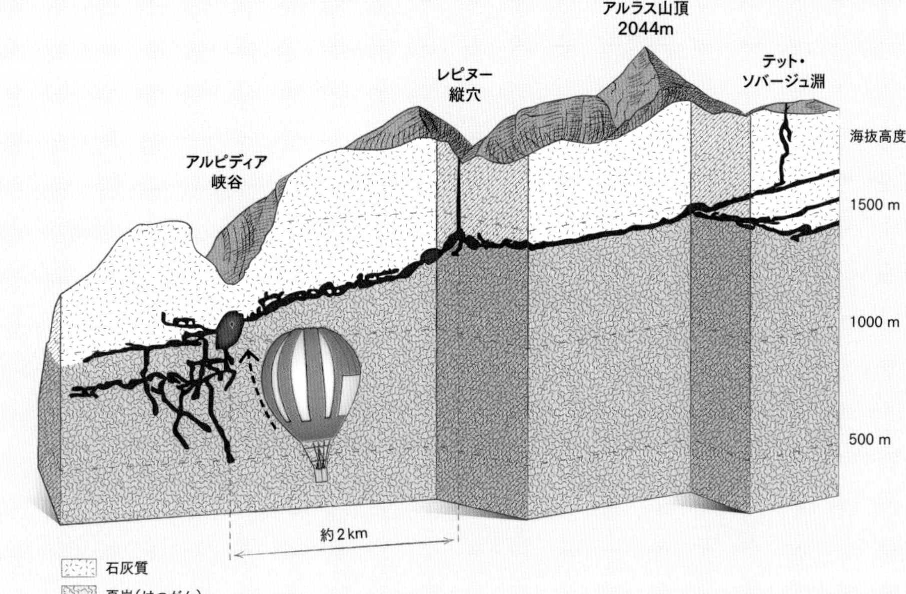

フランスの理工科学生たち

地下飛行への挑戦

洞窟の中に熱気球を飛ばす？ 理論的にはあり得ない。
でもやってみなければ分からない。

ピレネー地方
（フランス）

ゴンドラには
4人が乗った

上：
ピエール・サン=マルタンの断面図。トンネルと淵のネットワークが分かる。

左ページ：
サル・ド・ラ・ベルナを飛ぶ熱気球（上）

ジュール・ベルヌでさえ考えつかなかったであろう挑戦を、彼らはやってのけた。2003年3月8月、フランス最大の地下洞窟ラ・サル・ド・ラ・ベルナで、理工科学校の学生たちが係留気球の飛行を実行したのである。ラ・ベルナの洞窟には2000近くの穴があり、最深部は、地下1342メートルに達する洞窟網、ラ・ピエール・サン=マルタンの中心部に位置している。異様に大きいこの洞窟は世界10大洞窟の1つに数えられ、表面積は5ヘクタール、「天井」の高さは194メートルある。学生たちがこの破天荒な冒険を実行するには、軍の応援、経験豊かな洞窟学者の支援、40人のチーム、多大なる忍耐が必要だった。しかし、ついに熱気球が空に浮かび、巨大な中国のランタンのように洞窟を照らしたとき、成功は確かなものとなった。本当に地下で熱気球を飛ばしたのだ！ これほどの驚異的な探検は望めないとしても、神秘的な洞窟を自分の目で確かめたいという人にとって、そこは必ずや忘れられない場所になるだろう。

1953年に発見された当時、最深部までの深さ734メートルのラ・ベルナの洞窟は、洞窟学上の世界記録を更新した。数年後、地下ダム建設を予定していたフランス電力が、長さ600メートルの地下通路を造る。そして2008年、地下水力発電所が稼働開始したおかげで、洞窟内部を照らすことができるようになった。フランス電力の掘ったトンネルは、2010年以降、観光に便利で、使いやすい通路として使われている。もちろん、体力に自信のある人は舗装された通路を使わず、初期の洞窟学者のように歩き回るほうを選ぶだろう。どちらにしても、大洞窟の壮大な光景は探検者にとってのご褒美だ。モンパルナス・タワーがすっぽり入ってしまうくらいの巨大さを実感したかったら、左ページの後方に見える光の点に注目してほしい。小さく光る点は、岩棚に立っている人間だ。

マルコス副司令官

圧政に抵抗した覆面のヒーロー

英雄崇拝されないよう覆面をつけ、偽名で活動するマルコス副司令官は、
世界中で圧政に立ち向かう人々のシンボルとなった。

メキシコ

目出し帽は
サパティスタ兵の象徴

黒い目出し帽で顔を隠し、パイプをくわえたマルコス副司令官は、1994年から2014年までサパティスタ民族解放運動のスポークスマンだった。今では覆面の下の素顔について、ラファエル・セバスティアン・キジェン・ビセンテという人物であることが分かっている。かつてはメキシコ大学の哲学教授だったが、カール・マルクスの本は図書館に置いて、政治の現場へと飛び込んだ。1984年には先住民たちの自治権奪還のため闘うサパティスタ民族解放運動軍に参加。そして、貧困にあえぐチアパス地方での蜂起が報道された1994年、国際舞台に登場した。サパティスタは、「我々を苦しめている独裁制の軸となっている」メキシコ軍に対し宣戦布告し、その意図を次のように言明した。「清廉潔白で自由な私たち、つまり男も女も含めたすべてのメキシコ国民は、今ここに宣言する戦争が最終的で正当な手段であることをよく知っている」。このような武装事件はもう起こらないだろう。というのもサパティスタたちは非暴力主義者で、マルコス副司令官の最大の武器は何よりもメディアを通して訴えかけるその言葉だったからだ。

もっとも、マルコスを一個人、一士官、あるいはただのゲリラ兵士として紹介するのは間違っている。アイロニーを利かせた偽名で活動するこの人物は、多様な人格を備えているからだ。彼の声を借りて話す男によると、マルコスは「サンフランシスコに住むゲイで、南アフリカ共和国の黒人で、ヨーロッパに住むアジア人で、サンイーサイドロのメキシコ系アメリカ人で、スペインのアナキストで、イスラエルに住むパレスチナ人で、サンクリストバル島の先住民で、ナチス・ドイツ下のユダヤ人で、政党に所属するフェミニストで、冷戦下の共産主義者で、アンデス山脈のマプーチェ族で……」ということになる。マルコスとは、世界中で、いつの時代も、圧政下に苦しめられる人間の名であり、人種も民族も性別もジェンダーも宗教も関係ない。マルコスは、より良い世界を目指す闘争の名前であり、資本主義の進路を変えようと活動するアルテルモンディアリズム運動（「もう1つのグローバル化」を推進する運動）を意味する。マルコスは、ついに実現した「下からの力」なのである。実際、チアパス地方では何十年間も自治が行われてきたからこそ、サパティスタたちは組織的に司法、公衆衛生、教育、そして経済面での統制能力を持つのだ。

「権力を行使することなく世界を変える」。マルコスは1994年にそう宣言した。サパティスタの目標は常に、先住民族や少数派の人々を苦しめてきた新自由経済主義モデルに取って代わるものを構築することだからだ。2014年、マルコス副司令官はマルコスとしての活動から身を引いたが、今なお「私たちはみなマルコスだ」というスローガンは、不公正に反発する大きな声として怒涛のように押し寄せてくる。マルコス副司令官の言葉にある抵抗運動への呼びかけは永遠に生き続けるだろう。「教えてくれ。実現する前はただのユートピア的発想だと見なされていなかった社会進歩など、世界史上あっただろうか？　答えは否だ。社会進歩とはそういうものだ」

左ページ：
2006年7月、メキシコの選挙手続きに対する抗議デモでのマルコス副司令官の横顔。

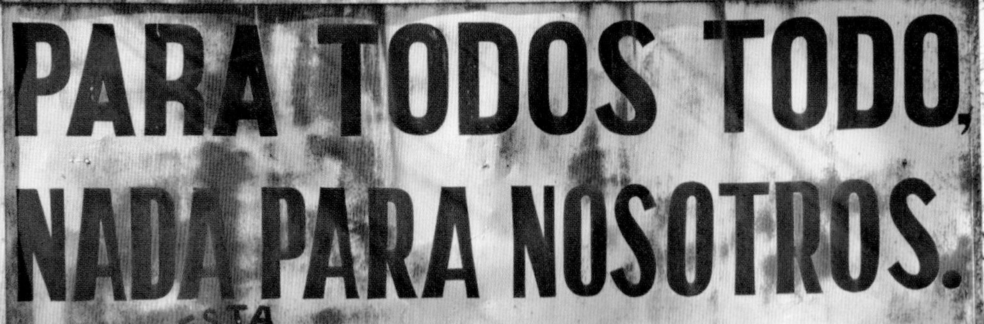
PARA TODOS TODO,
NADA PARA NOSOTROS.
ESTA
MUNICIPIO
AUTONOMO
REBELDE
ZAPATISTA
JUNTA DE BUEN GOBIERNO
CORAZON CENTRICO DE LOS ZAPATISTAS
DELANTE DEL MUNDO
ZONA ALTOS

上：
サパティスタの精神は世界各国で反響を呼んだ。これはサンフランシスコの壁画。

左：
サパティスタ民族解放軍（EZLN）。2016年に開催された先住民族全国会議の祝典で。

左ページ：
メキシコの「カラコル」（独立したサパティスタの村）であるオベンティック村の入り口の標識。

トーマス・サンカラ

アフリカの解放を夢見た男

環境活動家でフェミニスト。
あだ名は「アフリカのチェ・ゲバラ」。
ブルキナファソを帝国主義植民地支配から
解放しようと努めた革命的大統領だ。

ブルキナファソ

サンカラはアフリカが国際世界の影響力から脱することを願った

軍人出身で、1983年8月4日のクーデターにより権力の座についたトーマス・サンカラは、国民のための民主主義革命という理想に燃える進歩派だった。オートボルタ（ブルキナファソの旧称）の大統領に着任早々、明確な目標を掲げている。「やっと生きているような状態に別れを告げ、人々を圧政から解放し、田園地帯を中世的な事なかれ主義や退行から解放し、社会を民主化し、未来の創造に必要な集団責任の価値観がある世界に向けて、人々の心を開きたいのだ……」。政情不安と財政汚職により弱体化していたオートボルタの国民は、まだ30代で抗しがたいカリスマ性を持つ男を熱烈に歓迎した。サンカラは刺激的かつ深遠なスピーチで群衆を圧倒する。「愛国教育を受けない兵士は潜在的な犯罪者でしかない」と軍服姿で語り、まずは国家元首として国民を参加型民主主義へと導こうとした。「経済、軍事、政治、社会、そして文化といった、あらゆる形態のパワーが人民の手に入らなければ、民主主義は実現しない」とも語っている。それはユートピア的な計画だったのかもしれない。4年という短い在任期間、彼は時に強引なやり方で計画を実行した。1984年には自ら国名の変更を推し進めた。地形に由来するだけの国名――しかも植民地時代の遺物であるオートボルタという名は放棄された。新国名のブルキナファソは、国の2つの主要言語の単語を組み合わせた言葉で、「公明正大な人間の祖国」を意味する。公明正大であることと模範的であることは、サンカラのプロジェクトの核心だった。彼は、国を腐敗させ生活水準を著しく低下させていた汚職と闘った。大統領専用のぴかぴかなメルセデス・ベンツは売却され、大統領も閣僚も運転手をつけず、自らルノー5を運転した。参加型民主主義に関しては、従来のように地方の長を置くのをやめ、革命防衛委員会を配備して対応した。カストロがキューバで行った制度に影響を受け、地方分権の単位となったこの組織は、人民の名のもとに権力を行使した。ただ、その実施方法は必ずしも緻密とはいえなかった。サンカラは先を急ぎすぎたのだ。逸脱行為をした者は罰された。

一方、経済政策と外交政策は短い期間でも成果を上げ、そのためサンカラは英雄視された。経済に関する彼のビジョンは明快だ。生産高を上げ、自立型経済を構築し、食糧自給率を100%にすること。果物と野菜の輸入は禁止され、農家や職人は保護された。1986年には国連もその成功に触れ、「サンカラは飢餓に打ち勝った！」と伝えている。貧困対策で成果を上げたことはもちろん、イデオロギー上の業績も忘れてはならない。サンカラが夢見たのは、世界からの援助なしで生きていくアフリカの姿だ。若き大統領は国際通貨基金（IMF）からの融資を断固としてはねつけた。1987年、アフリカ統一機構のサミットでは、ほかのアフリカ国家に借金返済を拒否するよう勧めている。「我々が返済しなくても、間違いなく債権者たちは死んだりしません。でも、返済したら、我々は死んでしまいます。こちらも間違いなく、です！」。1919年から1958年にかけてこの国を植民支配していたフランスとの関係を見ると、サンカラの率直な性格がうかがい知れる。「フランス

のアフリカ政策は、非常にフランス的だと思う」と発言している。さらに1986年、フランソワ・ミッテラン仏大統領にずばり尋ねた。なぜフランスは南アフリカ共和国の首相で人種隔離政策の支持者であるピーター・ボータをあんなにも歓迎するのか、と。それに対しミッテランははっきり答えなかった。「サンカラ大統領は人を混乱させる傾向がある男だ。彼がいると思うと安心して眠れないね」

そうなのだ。理想を原動力とするサンカラは、何があっても立ち止まらなかった。徹底したフェミニストとして閣僚に女性3人を起用し、ブルキナファソの女性の雇用を促進し、結納金や強制結婚などの習慣を廃止し、女子割礼を禁止した。子どもたちの就学率は4年間で6%から24%に上昇し、250万人の子どもが麻疹と黄熱の予防接種を受けた。サンカラは環境保護活動も推進し、砂漠化対策、火入れの禁止、集中的再造林などを実施した。1986年、パリで開催された環境会議における彼の発言は、参加者にとってまさに青天のへきれきだった。「砂漠化の責任は、ブルキナファソに住む人間だけにあるのではありません。砂漠化は、わが国から遠いところに住む、直接的・間接的に気候変動や環境変化を引き起こしている人々のせいでもあるのです」

改革の厳しさと妥協しない姿勢が、国内外で反対派との衝突を引き起こしたのは驚くにあたらない。1987年10月15日、トーマス・サンカラと側近たちは、かつての軍友ブレーズ・コンパオレの命令によって暗殺され、コンパオレが権力を掌握した。サンカラの死は27年間にわたり公式には「自然死」とされ、その遺体はワガドゥグーの墓穴に無名のまま放置されていた。現在、サンカラは汎アフリカ主義の象徴的存在となり、アフリカ大陸の連帯と独立を夢見る人々に大きな影響を与え続けている。

ジュリアン・アサンジ

告発者の追跡劇

ウィキリークスの設立者は、
戦争犯罪や権力濫用を証明する機密文書を漏洩し、
背信者として米国に告発された。
175年の禁固刑を言い渡されるかもしれない。

ロンドン
（英国）

2010年から
拘束中

右ページ上：
2014年、ロンドンのエクアドル大使館で記者会見を行うジュリアン・アサンジ。

右ページ下：
2022年1月24日、ロンドンの高等法院前でジュリアン・アサンジの釈放を求めるデモ行進。

1990年代、高い倫理観を持ったハッカー集団が防衛機密文書を匿名で拡散させることを目的に「クリプトム」というサイトを立ち上げた。メンバーの1人に、大胆なハッキング技術と自作のデータ保護ソフトで知られる、プラチナブロンドの青年がいた。彼の名はジュリアン・アサンジ。強固な信念のもとにハッカー活動を続けていたオーストラリア人だ。知る権利を国家が規制していること、その規制が国家権力自体のさまざまな活動をすべて覆い隠していることは、民主主義の最大の敵だと、アサンジは考えた。そして2006年、ウィキリークスを立ち上げる。ウィキリークスの目標は、告発者の身元は保護したうえで国家文書を暴露し、不法な策動を一般市民に知らしめることだった。

2010年、事態の展開は加速し、アサンジはマスメディアの寵児となり、米国一の嫌われ者となった。4月、民間人殺傷動画が公開され、イラクでの米国による民間人と報道関係者への空爆が露見した。7月に公開された紛争関係資料は、アフガニスタンにおける戦争犯罪の証拠として世界中の一流紙に掲載された。10月、ウィキリークスは6万6000人の民間人を含む11万人のイラク人が米軍の爆撃によって死亡し、何百万もの人々が拷問を受けたと発表した。11月には、いわゆる「ケーブルゲート事件」が起こる。このとき流出した米国外交公電によって、大使館員の交渉の後ろ暗い側面が暴露された。これだけではない。ウィキリークスは、グアンタナモ基地での残虐行為、シリア内戦における人権侵害、米国国家安全保障局によるフランス歴代大統領の会話盗聴なども公開した。

ウィキリークスによって、知る権利と市民的不服従が注目されるようになった一方で、アサンジは政治とメディアの絡む重要案件の中心人物にされてしまった。米国から少なくとも18の訴因で告訴されるに至り、7年の間ロンドンのエクアドル大使館に亡命していた。またスウェーデンでは性的暴行容疑をかけられたが、無罪が証明された。2019年には、米国に追従するエクアドルの新大統領がアサンジの被保護権を取り下げた。アサンジは英国のベルマーシュ刑務所で拘置され、通常はテロリストに適用される完全な隔離状態に置かれた。彼のコンピューターや個人文書は米国へ送られた。こうした処遇は、罰せられることのない権力者の立場を揺るがせた行為の代償なのだろうか？ 2022年6月、米国へのアサンジの身柄引き渡しが承認された。有罪となれば、最長で175年の禁固刑を言い渡されることになる。哲学者ハンナ・アレントの1961年の言葉が思い出される悲しい結末だ。

「事実を情報として伝えることができないなら、そして議論の対象となるものが事実そのものでないとしたら、言論の自由は茶番に過ぎない」

Thordarson
to LIE!
FREE
SANGE
War Crimes
FREE
ASSANGE
NOW!
FREE ASSANGE
FREE SPEECH
IS NOT A CRIME.
SET HIM FREE!
DELIVER REAL
JUSTICE FREE
JULIAN ASSANGE

図版

カバー、表紙：バベルの塔（ウィーン美術史美術館）

Pages : 3 © John Cary / Cary's New Universal Atlas (1801) / Wikimedia Commons 4 © SasinTipchai / Shutterstock • 5 © John Cary / Cary's New Universal Atlas (1801) / Wikimedia Commons • 6 © dikobraziy / Shutterstock • 9 © Géza Maróti / Wikimedia Commons • 10 © Hans Holbein le Jeune, The Frick Collection, New York / Wikimedia Commons • 11 © Abraham Ortelius / Wikimedia Commons • 12 © Géza Maróti / Wikimedia Commons • 13 © Bory de Saint-Vincent / Wikimedia Commons • 14 © pawlopicasso / Alamy • 15 © Gregory Edward John / Painters / Alamy • 16 © Sanson d'Abbeville (1656) / Geographicus / Wikimedia Commons • 18 © Pies Specifics / Alamy • 19 © F. Pellegrino / Hazan / Le Monde-La Vie • 20 © e2dan / Shutterstock • 21 © Universal Images Group North America LLC / DeAgostini / Alamy • 22-23 © attribué à Abraham Cresques / BNF / Wikimedia Commons • 24 © Auteur inconnu / Universiteitsbibliotheek Vrije Universiteit / Wikimedia Commons • 25 © Novikov Aleksey / Shutterstock• 26 © Lotharingia / Adobe Stock • 27 © Pierre-Gabriel Berthault / Wikimedia Commons • 28 (h) © Auteur inconnu / Wikimedia Commons • 28 (b) © Lotharingia / Adobe Stock • 29 © René Mattes / Hemis • 30 © Brad Pict / Adobe Stock• 31 © Freitag Barbara / Diogène / Le Monde-La Vie • 32 © SOBERKA Richard / Hemis • 34 © US Capitol / Wikimedia Commons • 35 © G. Duby / Larousse / Jean Sellier / Le Monde-La Vie • 36 © Augustus Sherman / New York Public Library • 37 © Contraband Collection / Alamy • 38-39 © Rich Lemonie / Wikimedia Commons • 40 © Alain Cassaigne • 42 © Alain Cassaigne • 43 © LOURDEL Lionel / Hemis • 45 (h) © Kim Jeong-ho / Wikimedia Commons • 45 (b) © Suny Fan / Alamy • 47 © Tamisclao / Shutterstock • 48 © Le Monde-La Vie • 49 © North Wind Picture Archives / Alamy • 50 marchello74 / Shutterstock • 51 © Encyclopédie Universalis / G. Jean / Le Monde-La Vie • 52 (h) © Sundry Photography / Shutterstock • 52 (b) © William Bridges / Wikimedia Commons • 53 © Oleg Kononenko / Wikimedia Commons • 54 © WikiHistoriadoras / Wikimedia Commons • 55 © Dmitry Rukhlenko / Shutterstock • 6 © F. Bates / Wikimedia Commons • 57 © Historic New Harmony / Le Monde-La Vie • 58 © News Oresund / Wikimedia Commons • 59 © Laurène Champalle / Intervalles / Le Monde-La Vie • 60 (h) © Jorge Franganillo / Flickr • 60 (b) © KristenScotti / Shutterstock • 61 © seier+seier / 62-63 © Olivier Bruchez / Flickr • 64 © Mazur Travel / Adobe Stock • 65 © Auroville.org / Le Monde-La Vie • 66 (h) © Melting Spot / Shutterstock • 66 © Vrp18 / Wikimedia Commons • 67 © Shutterstock • 68 © Srikanth Meni / Shutterstock • 69 © IM3847 / Wikimedia Commons • 70 © Arcosanti Project / Le Monde-La Vie • 71 © Cory Doctorow / Paolo Soleri / Flickr • 72 (h) © Carwil / Wikimedia Commons • 72 (b) © JHVEPhoto / Shutterstock • 73 © DBSOCAL / Shutterstock • 75 © Uwe Aranas / Wikimedia Commons • 76 (h) © Dronepicr / Wikimedia Commons • 76 (b) © Ebenezer Howard / Wikimedia Commons • 77 © S-F / Shutterstock • 78-79 © Leandro Neumann Ciuffo / Flickr • 79 © ITPhoto / Alamy / Hemis • 80 © ValentinValkov / Adobe Stock • 81 © Dora Ivanova • 82-83 © Stanislav Trykov / Wikimedia Commons • 84 (h) © Mihail Mihov • 84 (b) © Bedros Azinyan • 85 © Natalya Letunova / Unsplash • 86 © Department of Public Information Cartographic Section / Wikimedia Commons • 87 © Tamisclao / Shutterstock • 88 © Alain Cassaigne • 89 © Grand_Chabe01 / Wikimedia Commons • 91 © Atosan / Shutterstock • 92 © Abraham Ortelius / Wikimedia Commons • 93 © Auteur inconnu / Wikimedia Commons • 94 © Poma de Ayala / Wikimedia Commons • 95 (h) © Abraham Ortelius / Wikimedia Commons • 95 (b) © Alamy / Hemis • 96-97 © Historical views / age fotostock / Alamy • 99 © Rigobert Bonne / Wikimedia Commons • 100 © Archives nationales / Wikimedia Commons • 101 © Archives nationales / Wikimedia Commons • 102 © Ahmed Abd El-Fatah / Wikimedia Commons • 104-105 © Le Monde-La Vie • 106 © Jacques-Louis David / Wikimedia Commons • 107 © Classic Image / Alamy • 108-109 © Caravage / Wikimedia Commons • 110 (h) © Michel Baron • 110 (b) © Michel Baron • 111 © Michel Baron • 112 © Jean-Louis Boissier • 113 © Collectif • 114 © Caroline Léna Becker / Louis Majorelle / Wikimedia Commons • 115 © Paul Signac / Wikimedia Commons • 116-117 © Lucas Ramón Mendos / ILGA.org • 118 (h) © poludziber / Shutterstock • 118 (b) © Stonewall Forever / Google • 119 © Rhododendrites / Wikimedia Commons • 120 © UN World Happiness Report / Wikimedia • 121 (h) © Göran Höglund (Kartläsarn) / Flickr • 121 (b) © BOISVIEUX Christophe / Hemis • 122 © OCDE • 123 © Francisco Giler, Different gender, same value, Quito - Ecuador • 124 © Atosan / Shutterstock • 125 © TravelNerd / Shutterstock • 127 © Walter Sedriks / Wikimedia Commons • 128 © Helen Filatova / Shutterstock • 130 (h) © Octoavio Espinosa Campodonico / Wikimedia Commons • 130 (b) © Ainoa / Alamy / Hemis • 131 © European Space Agency / Wikimedia Commons • 133 © Larysa_Geoffrey Moler / Shutterstock • 134 (h) © Amzi Smith / Wikimedia Commons • 134 (b) © Takako Picture Lab / Shutterstock • 135 © Kent Weakley / Shutterstock • 136 © Isabelle Blanchemain / Editions Rossignol / Flickr • 136 © lyzadanger / Diliff / Wikimedia Commons • 137 © Yuka • 138 © mustbeyou / Shutterstock • 139 © Le Monde-La Vie • 140 © Bordalo II • 141 © Kgbo / Wikimedia Commons • 142 (h) © US Army / Wikimedia Commons • 142 (b) © Christian A. Schröder / Wikimedia Commons • 143 © Sa7er90 / Architecte Norman Foster / Wikimedia Commons • 143 © O. Sergejf / Flickr • 144 © Compagnie d'assurances La Prévoyance / Wikimedia Commons • 145 (h) © Molly Adams / Flickr • 145 © Jiel Beaumadier / Wikimedia Commons • 146 (h) © Andrij Vatsyk / Shutterstock • 146 (b) © kah loong lee / Shutterstock • 147 © badahos / Shutterstock • 148 © Standret / Shutterstock • 150-151 © Walter Sedriks / Wikimedia Commons • 152 © BLM Nevada / Wikimedia Commons • 153 (h) © Victor Habchy • 153 (b) © Steve Jurvetson / Wikimedia Commons • 154 © Wikimedia Foundation / Wikimedia Commons • 155 © NwandaWomblin_Tracemedia_Flickr • 156 © Jorge Henrique Singh / Wikimedia Commons • 157 © Pulsar Imagens / Alamy Stock Photo • 158 (h) © Zlotan Kluger / Wikimedia Commons • 158 (b) © Zlotan Kluger / Wikimedia Commons • 159 © Orlov Sergei / Shutterstock • 161 © Spach Los / Flickr • 163 © Gil.K / Shutterstock • 164 © Revolusi Mental / Coordinating Ministry for Human Development and Cultural Affairs of the Republic of Indonesia / Wikimedia Commons • 165 (h) © Tropical Studio / Shutterstock • 165 (b) © Martyn Evans / Alamy • 166 © Château de Guédelon • 167 (h) © Jean-Benoît Héron • 167 (b) © Florian Renucci • 168 (h) © Clément Guérard / Château de Guédelon • 168 (b) © Denis Gliksman / Château de Guédelon • 169 © Château de Guédelon • 170 © Pius Lee / Shutterstock • 173 © SasinTipchai / Shutterstock • 175 © SpaceX / Flickr • 176 © Luc Schuiten / Le Monde-La Vie • 177 © Luc Schuiten / Wikimedia Commons • 178 © MatthiasKabel / Wikimedia Commons • 179 © Sergey Uryadnikov / Shutterstock • 180 © Jacques Rougerie / Le Monde-La Vie • 181 © Jacques Rougerie / Le Monde-La Vie • 182 © Forgemind ArchiMedia / Flickr • 183 © Le Monde-La Vie • 184-185 © Pierluigi Palazzi / Shutterstock • 186 © SpaceX / Flickr • 187 © NASA-Clouds AO-SEArch / Wikimedia Commons • 188 © NASA Ames-JPL-Caltech / Wikimedia Commons • 189 © Exoplanet.eu, Planetary Habitability Laboratory, Nasa Zxoplanet Archive / Le Monde-La Vie • 190 © Vladimir Yuryevich / Wikimedia Commons • 191 © Alcor Life Extension Foundation / Wikimedia Commons • 193 © Eraxion / iStock • 194 © Wellcome Images / Wikimedia Commons • 195 © ICP / incamerastock / Alamy Stock Photo • 196-197 © Eslivb / Wikimedia Commons • 197 © Kaye / Flickr • 199 © Chris Schmid Photography / Alamy / Hemis • 200 © KSPanier / Wikimedia Commons • 201 © andrey_l / Shutterstock • 202 © Rudolfo Bucacio / Fine Arts WohnKultur • 203 © Jean-Léon Gérôme / Wikimedia Commons

• 204-205 © Architonic, cargocollective.com / Le Monde-La Vie • 207 Ari Wid / Shutterstock • 208 Jean-Léon Gérôme / Wikimedia Commons • 209 © Leonid Andronov / Shutterstock• 210 Fullangel1 / Wikimedia Commons • 211 (h) © Zbigniew Guzowski / Shutterstock • 211 (b) © Hermann Vogel / Wikimedia Commons • 212 Luc Viatour / Léonard de Vinci / Wikimedia Commons • 213 Raffaello Sanzio Morghen / Wikimedia Commons• 214 (h) © Luc Viatour / Léonard de Vinci / Wikimedia Commons • 214 (b) © Gaia Conventi / Shutterstock • 215 © Nevit Dilmen / Wikimedia Commons • 216 © Agostino Codazzi / Wikimedia Commons • 217 © Rita Matilde de la Peñuela / Wikimedia Commons • 218 © Cartarium / Shutterstock • 219 © René Burri / Shutterstock • 220-221 Jess Kraft / Shutterstock • 222 Lieske Leunissen-Ritzen / Wikimedia Commons • 223 © World History Archive / Alamy • 224 © Eugenio Hansen / Flickr • 225 (g) © Universala Esperanto Asocio, Association mondiale d'Espéranto, Europe Démocratie Espéranto / Le Monde-La Vie • 225 (d) © Archiwum Cyfrowe / Wikimedia Commons • 227 © Google Art Project / Pieter Brueghel l'Ancien / Wikimedia Commons • 228 (h) © Milosk50 / Shutterstock • 228 (b) © Benoît Prieur / Wikimedia Commons • © Inconnu / Wikimedia Commons • 229 © Arimaj / Wikimedia Commons • 230 © o NARA / Flickr • 231 (h) © Rowland Scherman / Wik• 231 (b) © James M Shelley / Wikimedia Commons • 232 (h) © AF archive / Alamy • 232 (b) © Ari Wid / Shutterstock • 233 © Inconnu / Wikimedia Commons • 234 © guano / Flickr • 235 © dpa picture alliance archive / Alamy • 236 (h) © Bjørn Christian Tørrissen / Wikimedia Commons • 236 (b) © Scott Woodham Photography / Shutterstock • 237 © Oregon State University / Flickr • 238 (h) © Imranrashid26 / Wikimedia Commons • 238 (b) © Vicki Francis / Wikimedia Commons • 239 © UK Department for International Development / Wikimedia Commons • 240 © Yann Caracec / Wikimedia Commons • 241 © Digitalman / Alamy • 242 (h) © Mike Herbst / Wikimedia Commons • 242 (b) © FY2013 Congressional Justification Book / Wikimedia Commons • 243 © Felipe Crespo / Wikimedia Commons • 244 (h) © Serge Caillault • 244 (b) © Maison Mariposa • 245 © Léonie Schlosser • 246 © Yuri Cortez / AFP • 248 Stefano © Paterna / Alamy • 249 © Nikreates / Alamy • 249 © Mariana Osornio / Wikimedia Commons • 251 © Dominique Faget / AFP • 253 © Alisdare Hickson / Flickr • 253 Cancillería del Ecuador / Wikimedia Commons

Pictogrammes : www.flaticon.com

執筆者

オフェリー・シャバロシュ: 11, 12, 15, 26, 30, 34, 48, 51, 55, 56, 59, 64, 70, 78, 100, 115, 116, 120, 122, 125, 132, 138, 141, 147, 150, 166, 177, 180, 183, 186, 190, 192, 195, 196, 198, 200, 204, 227, 231, 248.

ジャン=ミシェル・ビリウー: 20, 37, 44, 69, 74, 81, 86, 93, 98, 103, 106, 111, 112, 129, 137, 144, 154, 156, 159, 160, 164, 171, 189, 203, 210, 215, 218, 221, 224, 232, 235, 236, 239, 241, 242, 245.

アルノー・グーマン: 40, 89, 247.

ローラン・ビネ: 序文, 96.

アクセル・ビック: 各章の扉, 94.

謝辞

多くの方々から、自ら進んでにせよそうでないにせよ、多大な貢献をいただいたおかげで、たいへん内容豊かな本を作ることができました。お名前または団体名を以下に記します。ベル・バラード出版より厚くお礼申し上げます。
ミシェル・バロン、ジャン=ルイ・ボワシエ、フランシスコ・ジレー、フロランスとYUKAのチーム、マルク・ドジエ、ガマル・アルビンサイド、ゲドロン城、リュック・スクイテン、ビクトル・ハブシー、ファイン・アーツ・ウォンクルトゥル、ルドルフォ・ブカチオ、マリ=ジャンヌ・ンディアイ、ミシェル・スフェイールとル・モンド増刊号『ラ・ビ〈アトラス・デ・ズトピ〉』のチーム、アルノー・グーマン、ローラン・ビネ、ボルダーロII、シャルル=アントワーヌ・イドラックと「地下飛行」チーム、イザベル(ラ・ポサダ・マリポサ)、天安門広場の無名の画家たち、スパルタクス、トマス・モア、レオナルド・ダ・ヴィンチ、シモン・ボリバル、エルネスト・チェ・ゲバラ、ローザ・パークス、ルドビコ・ザメンホフ、フェルディナン・シュバル、ジョーン・バエズ、ジェーン・グドール、ポール・ワトソン、ワンガリ・ムタ・マータイ、マララ・ユスフザイ、ミシェル・ジョウエン、エドワード・スノーデン、マルコス副司令官、トーマス・サンカラ、ジュリアン・アサンジ。

ビジュアルアトラス
世界のユートピア
理想郷を求めた人類の野望と夢

2023年10月16日　第1版1刷

著者	オフェリー・シャバロシュ
	ジャン=ミシェル・ビリウー
翻訳	神奈川夏子
編集	尾崎憲和　田島進
編集協力・制作	リリーフ・システムズ
翻訳協力	トランネット
装丁	相原真理子
発行者	滝山晋
発行	株式会社日経ナショナル ジオグラフィック
	〒105-8308　東京都港区虎ノ門4-3-12
発売	株式会社日経BPマーケティング
印刷・製本	日経印刷

©Nikkei National Geographic Inc.
ISBN978-4-86313-580-2　Printed in Japan

乱丁・落丁本のお取替えは、こちらまでご連絡ください。
https://nkbp.jp/ngbook

本書は仏Lapérouse Éditionsの書籍「ATLAS DES UTOPIES」を翻訳したものです。内容については原著者の見解に基づいています。

本書の無断複写・複製(コピー等)は著作権法上の例外を除き、禁じられています。購入者以外の第三者による電子データ化及び電子書籍化は、私的使用を含め一切認められておりません。

Président : Alain Ged
- Direction : Yann Le Fichant
- Directrice de production : Agnès Gauzit
- Directeur éditorial : Axel Vicq
- Responsable d'édition : Marine Prémel
- Assistants d'édition : Mathilde Malé, Julien Mairey
- Conception graphique et mise en page : François Egret – Amulette.fr
- Photogravure : Les Caméléons

Ophélie CHAVAROCHE et Jean-Michel BILLIOUD :
"ATLAS DES UTOPIES"
Avant-propos de Laurent BINET
© Lapérouse Éditions, 2019

This book is published in Japan by arrangement with Lapérouse Éditions through le Bureau des Copyrights Français, Tokyo.